成熟的人不问过去，豁达的人不问未来。

人性是在要求公平的时候，先看看有没有别人也遭受不公平的待遇。

你不可不知的人性2

[美] 刘墉 著

湖南文艺出版社
HUNAN LITERATURE AND ART PUBLISHING HOUSE
博集天卷 CS-BOOKY

序

不再有象牙塔的世界

请以智者的心去了解“你不可不知的人性”。

请以仁者的心去培养“你不能没有的谅解”。

十二岁的女儿，虽然在美国出生，但是非常中式化，不但每天跟着公公婆婆看中文的电视剧，而且跟我一起看华语新闻。

二〇〇〇年七月二十六日，卫星电视里播出了《小沙弥学院住持性侵害》的新闻。

“什么是小沙弥？”女儿问。

“小沙弥就是小和尚，他们在那里上佛教课。”

“什么是住持？”女儿又问。

“住持就是主持小沙弥学院的人，也可以说是小沙弥的老师。”我简单地解释。

“住持是老师，又教佛教的课，为什么会欺负他的学生？”女儿很不服气地说，“电视里一定是乱说。”

“乱说不乱说，现在还不确定，但是老师里也有坏人，却是真的！”我和缓地讲。

“传教的老师不会有坏人，他是坏人怎么传教？！”女儿居然拔高了她的声音，我知道她是不愿意接受这个事实。

女儿气呼呼地走了。

我一个人坐在电视前，想了许多。

想起一九九八年十一月，罗马天主教达拉斯教区，把破纪录的三千零九十万美元，赔偿给十二个被神父猥亵的辅祭男童。

那不是跟小沙弥学院的情况有点类似吗？

女儿既然不信台湾小沙弥的老师会性侵害，我是不是应该举这个美国的案例给她听呢？只是，她听了，会不会相信？又会不会对她纯真的心灵造成伤害？

记得二十多年前，著名音乐家邓昌国先生在世的时候，有一次我问他对一位新蹿起的年轻钢琴家的看法。

“她最好别结婚。”邓先生说。

“为什么？”

“因为她最好活在她纯真的世界，不要接触柴米油盐。”

事实证明他的话没错，那耀眼的一颗星，结了婚、离了婚，失去了光芒。

我后来常想，是不是有些人就应该一辈子活在象牙塔里做他的梦，在那水晶般纯洁的世界里，以他们的“冰雪聪明”创作。

只是，是否每个人都能有那样的际遇？有几个人能从小到大都不遭遇挫折，不接触丑恶的人性？就像我女儿，我能什么都不对她说，但我能阻止她接触外面的世界吗？

于是，她的纯真，反而成为我忧心的事。

人生走过半个多世纪。我发现许多出校门时帅气可爱的年轻男孩，才入伍，就变了。

只因为他发现早上长官那桌的豆浆比较浓，他发现伙夫会把“上肉”切到另一个地方。

然后，他进了社会，发现验收的人先把西装外套往工地办公室的椅背上一搭，再去视察，回来穿上西装外套，口袋里已经沉甸甸的。

他愤怒，他不服。

他可能因此离开那个工作，可能去举报，因而吃了闷亏，也可能渐渐地近墨者黑，变成同一种“挂西装外套的人”。

这个世界是多么可悲呀!

一个人扶起倒在地上的孩子，转眼孩子不见了，自己的钱包也不见了。

一个人在荒郊看见落单的女子拦车，停下来，让女子上车，左边太阳穴却抵了一把枪。

一个人省吃俭用，捐给慈善团体，改天却发现该被救助的人没拿到几文，那慈善团体的负责人却四处挥霍。

如果这个人不能谅解人性，他能不由气愤变为冷漠吗?

五十多年来，我也看过许多家里最被宠爱的女儿，只因为家里管得严，没交过男朋友，于是莫名其妙地遇到一个，就坠入情网，就不能自拔，就陷落一生。

她的父母只知怨自己女儿傻，可曾想过女儿容易“得病”，是因为他们过去把她养在“无菌室”?

有几个孩子能永远不接触“病毒”呢?

尤其今天，她一按鼠标，就到了世界的另一边，就看到令父母咋舌的画面，就对一个“情场老千”倾诉情怀。

电脑自己会染上病毒，电脑也会把病毒传给使用的人哪!

你能再用“深闺小楼”去防范吗?

你能不早早为年轻人注射对抗病毒的疫苗吗?

《你不可不知的人性》正是我制作的疫苗。

不可否认，这本书里的故事非常辛辣，如同疫苗，打下去可能令人肿痛、发烧，像我女儿在听到小沙弥学院事件时的不舒服。

但是透过“你不能没有的谅解”，我也希望大家能因此了解为什么城乡差距、贫富不均会造成不安，为什么一个可爱的官员会腐化，为什么失败的人没有道歉的权利，为什么同志能变成敌人，为什么提拔你的人反而回头迫害你。

换作你，你也可能变。

你不早早警戒，也会被一步步吞噬，一点点腐蚀。

因为你人性的弱点被抓住。

我从来不相信世上有圣人，只知道无论贤人、伟人、好人、坏人、大人、小人，大家都是“人”。脱去外衣，每个人都是“双肩承一喙”的生命。

我也从来不相信世上有真正客观的人，只知道每个人的客观、公正都有他的限度。

当限度被超越，涉及他自身的利益与他的家人，那客观就可能改变。

都是人哪！

当你了解了人性，就会发现万变不离其宗，古往今来，所有可歌可泣、可爱可恨、可悲可耻的事，都脱不开人性。

原来那一切都是这么平凡，这么不必大惊小怪。

于是，你才可以用平常心去面对这些人世的现象。

这本《你不可不知的人性2》，一方面继续前一本未完的主题，一方面做了更深入的探索。

虽然我坚持以往“用最浅的文字，谈较深道理”的写作原则，但是我也尝试加入更多思考的空间。这本书与我早先出版的《把话说到心窝里》恰恰走了两个不同的方向。

那本是实用的，这本是思想的；那本是战术的，这本是战略的。

但无论战术或战略，我都在引导大家打一场光明正大的圣战，而不是做个阴毒的伏兵；都在提醒你戴防毒面具，而不是鼓励你去施放毒气。

这世界污染确实够严重的，但谁说在乌烟瘴气里嗅不到花的幽香？

请以智者的心去了解“你不可不知的人性”。

请以仁者的心去培养“你不能没有的谅解”。

目　录
Contents

Chapter 1
_ 当虎妞发飙的时候／001

你没有他会活不下去，真没了他，你还是活得下去。调动职位使他知道，他会的，别人也能做；使他有了新的工作，不得不学习；也使他坐一个位子太久之后造成的腐化，容易被发现。

Chapter 2
_ 不公平的世界／015

当“冠盖满京华”的时候，“斯人独憔悴”，就益发“憔悴”了。当“人人皆有”的时候，“我独无”就愈显得不公平了。那不但是“不公平”，而且是“歧视”“藐视”和“侮辱”。

Chapter 3
_ 老陈的报复／027

你获胜时，既是最能施展抱负的时候，也是最能化敌为友的时候。人没有永远的敌人，最重要的是你有没有那份胸怀和智慧，在获胜之后先伸出友谊的手。

Chapter 4
_ 捉贼记／039

真正的麻烦，是当你先让他觉得可以获得第一等的，再给他第二等的，明明已经不错，他却会不高兴。人们的心太大，也可以说人们的贪心，常是被引诱出来的。

Chapter 5
_ 爱护野鸡的人／049

他是怎么上钩的？几乎所有的腐化都有个堂皇的借口，所有的腐化都有个人情的外衣。一个人厚待他所爱的，就表示他不厚待他所不爱的。

Chapter 6

_ 老莫的房事／059

要知道，这世上许多“夺人所好”的人，都有个心理背景，就是“没有我，焉有你”，“没有我拼命，你哪有今天”。

Chapter 7

_ 超级天才的研究／071

公理不见得是真理。公理常常只是人们自认为对的道理，尤其是对他们有利的道理。他爱的，不见得是他最欣赏的；他选的，不见得是他认为最对的。

Chapter 8

_ 是谁恶作剧／087

施比受更有福，爱是施的，它绝大部分表现在付出。你会因为付出爱，而越去爱，却不见得因为“越得到爱，而越去爱”。

Chapter 9

_ 会抽烟的长颈鹿/ 099

许多人对于冲突，都采取“拖”的战略，他知道时间拉长了，对手疲了，气消了，冲突就容易解决。每个人都有“视而不见”“听而不闻”的本事。

Chapter 10

_ 姚家的赏花盛会/ 111

人类能不断进步，就因为这种爱比、好战、追求超越的个性。那是与生俱来的——下一代超越上一代，是“超迈前贤”。学生超越老师，是“青出于蓝”。

Chapter 11

_ 小侯成功记/ 121

如果你被设计、被排斥，后来却成功了，就别再去恨任何人了吧！贵人未必是好人，贵人常是欺负你、逼你成功的人哪！既然他是你的贵人，你又何必恨他呢？

后记

_ 别做烂好人/ 135

Chapter 1

当虎妞发飙的时候

这个家不能没有我，这个家也可以没有我。这个世界不能没有我，这个世界也可以没有我。

当有一天，我不得不走，希望我的家仍然快乐，希望这个世界仍然美丽。

这是每个成熟的人都应该有的认识。

“你另请高明吧！老娘不干了！”虎妞把门“咣”的一声狠狠关上，直直地冲向自己的桌子，将文件往抽屉里一扫，提起皮包走了出去。

一屋子的人全抽了口凉气，跟着转过头，看经理室的门。

里头先没动静，隔了五分钟，才见薛经理开门出来，先看看虎妞的位子，又走到小杨旁边，低声问：“虎妞呢？”

“走了。”小杨说，“出去了，大概是走了吧！”

便见薛经理匆匆忙忙追出去。

“怎么办？”有人开始说话。

“完蛋了！”有人答，“我们都完蛋了！”

正说呢，薛经理板着脸回来了：“小杨！你来一下。”他把小杨带进去，关上门。

小杨下班，没回家，先赶去找虎妞。

按铃按了半天，没人应，正转身要走，门却开了：

“小杨！什么事？”

“我要问你呀！什么事？”

“老娘他妈的不干了！”

“你真不干了啊？”小杨进去坐下。

“当然是真的。”虎妞没好气地说，“我要叫老薛知道，知道没有我的滋味。”

“你明明知道，没了你，公司就动不了啦！”小杨笑笑，“你是何苦呢？跟老薛一个人过不去，也犯不着……”

“你别说了！”虎妞一瞪眼，“老薛叫你来的，对不对？”

小杨点点头：“他不叫我来我也会来呀！我们是最要好的朋友，我关心你啊！谁不知道这么多年来你为公司做了多少牺牲，忙得连婚姻都不要了。”

“对！可是有谁感激？老薛感激了吗？就因为我写错一笔账，犯得着发那么大火吗？”接着说了一堆老薛的不是。

小杨也就顺着她，跟着骂。

虎妞的气消了些，还炒了两道菜请小杨吃。临走，小杨又劝虎妞回去。

“我会回去，但是要看我高兴。”虎妞哼了一声，“你回去交差，就说我病了，请一个月假，病好了再上班。”

> 叫一个坐在那儿的人站起来，把位子让给你，当然比你去抢一个空位难得多。大多数人都很死心眼，碰到有人挡路，他们只会想“把他拖下来”。你为什么不想个更好的办法——把他捧上去！

“听说你病了。”第二天一早，老薛就打电话给虎妞，没人接，只好在答录机里留言，“想去看你，怕你还不高兴，不欢迎我。”

接着花店就送了一大篮鲜花给虎妞，写着老薛和全体同人敬赠。

下班之后，小杨又去了。

“拜托！拜托啦！看在同事的分上，回来吧！你一天不在，公司全乱了！”

“乱了活该！”虎妞冷笑了一声，“老薛不是本事大吗？他去管啊！缺我这么个老女人，有什么关系？”

“可是，可是公司账全在你手上啊！”小杨直央求，“支票还得有你的章，你不来，全完啦！”

“让他完！”虎妞还是没好气，“我在生病，总不能叫我不要命吧？”

早上才进办公室，老薛就把小杨叫进去。

跟着开了个会，他先自责一番，又勉励同人“共商对策，共赴国难”。

只是大家都叹气，说没虎妞真是全停摆了。

中午，老薛带着杨小姐和两个组长，又买了几大盒水果去虎妞家。虎妞把门拉开一条缝，看到是老薛，“砰”的一声关上了。

公司不能不开票。下午老薛只好带着各种证件，去银行换了印鉴。

但是有钱不管用，老客户的资料还在虎妞手上，不！应该说只有虎妞心里有数。甲公司该八折，乙公司九折，丙公司不打折。

“到底给不给折扣呢？”每个业务员都来问。

“你们跑业务，自己不知道吗？”老薛骂了下去，“照旧嘛！”

问题是那些客户也真鬼，不知从哪儿听说虎妞请假、资料全封了，一个个打电话，说算他们贵了。

老薛没办法，只好又叫小杨打电话问虎妞。

“我忘了！不知道。”虎妞冷冷地回答，“又老又病，意识不清，想不起来了。”

老薛头大了，在办公室里踱圈子，踱了半天，指示下去：

“打一封通函给所有的客户，说我们现在统一不二价，先调降价格，但是从今以后没有折扣。”

“老薛被骂死了，跑掉好几个老客户。”小杨下班，又去跟虎妞报告。

“这是报应！”虎妞得意地笑。

事情还没完呢！接着月底开发票也出了问题，有些公司行号不必开，有些开七成，有些一文不能少，少了就会挨告。

“怎么办？”下面的人又向薛经理请示，“以前全由虎妞开，我们搞不清。”

“一律照实开！”薛经理脸都绿了，又自打圆场地说，“本来就不应该逃漏发票嘛！”接着把几个组长找进去：“建立个新流程，不必什么都经虎妞，分层负责。”

说归说，晚上小杨又去了虎妞家。

“你们不是很神气吗？没有我，活得好好的啊！”虎妞还是没好气。

“可是要发薪水了，但册子在你手上。”小杨央求。

“能不能来一下，把抽屉打开，册子交给下面去办，再不然交给我。”

虎妞突然冷笑了起来：“给你？我知道了，你接手是不是？对不起，我钥匙丢了。我可警告你们，不准开我的抽屉！”说完就把小杨推了出去。

老薛果然不敢开虎妞的抽屉，虽然好几个同事说那是公物，虎妞不开，公司有权开。

所幸由公司会计师那边调出资料，重新造册，解决了问题。

转眼一个月快过去了。虎妞的桌子也就空了四个星期。

中秋节，协作厂商送了好多月饼来，全堆在虎妞桌上。

老薛特别致辞，谢谢大家在虎妞请假的这段时间齐心协力渡过了难关。

中国人尤其有这毛病，就是用“自曝己短”的方式表示自己谦虚。你自己说出你的短处，当然是真的，也当然正中你的要害。当有人拿你那短处质问你、攻击你，你能不承认，又能不受伤吗？

“其实我们早就应该制度化。”张组长说，一屋子人跟着附和。

“新来了不少客户。”业务员小李也说，“因为我们统一售价，客户反而增加了，尤其是小订单，加起来更多。”

小杨坐在虎妞的位子上拿着名册，点名，发月饼，每人三盒。

发送完毕，桌上还剩下六盒。

“咦，怎么还剩下六盒？”小杨算算。

“你忘了你自己。”有人笑道。

“对！忘了我。可是我拿三盒，还有三盒，怎么回事？”

大家你看看我，我看看你，总算想起来了：

“对了！还有虎妞嘛！”

你不可不知的人性 ▶▶

故事说到这儿，点到为止！

如果你继续往下想，过了些两天，一个月到了，虎妞回来上班了，会是怎样的场面？

大家会像是“久旱逢甘露”，对她欢呼，表示欢迎，还是只在口头上客气两句。

私下，会不会有人冷冷地说：“回来干什么？不回来还好些。”

问题是，一个月前虎妞发飙的时候，大家不是觉得公司非完蛋不可吗？薛经理、杨小姐和几个组长不是还三番两次去拜托虎妞回来吗？为什么渐渐地，情势改变了呢？

如果你常种花，一定会发现——

当你从地上挖走一棵花，留下一个洞，怎么看怎么不对劲时，一定会急着把洞填平。

但是如果你没填，过一个月再去看，那洞八成已经不那么明显。再过两个月，用不着你填，洞已经不见了。

假使你没种过花，你总在墙上挂过画吧！你有没有这样的经验——

当你摘走墙上已经挂了很久的一幅画，墙一下子变空了，你怎么看怎么不舒服。

但是过几天，眼睛适应了，又渐渐觉得“空着也不错”。

这世界就是如此。

它天生有修复的能力！

天崩地裂的大地震之后，所有坍落的土石会渐渐稳定，然后长出草，长出树，回归自然。

天崩地裂地“丧亲”或“丧失领导者”之后，所有的慌乱也会渐渐平静，然后产生新的生活方式，也产生新的领导者。

这世界上没什么是“非有不可”的，也可以说“就算人都死光了，明天太阳还是会从东边出来”。

但人性不是如此。人知道这道理，却不愿意承认。

所以老人家常会问晚辈："有一天我死了，你会不会哭？"

如果你说"我会哭死"，他就觉得你孝顺。

有些夫妻也会问彼此："有一天我先走了，你怎么活？"

假如你回答"我也活不了多久，就算活下来了，也不会再嫁（再娶）"，他就觉得你真爱他。

一个小孩子，躺在病床上的时候，甚至会猜："今天我没去，同学们在干什么？他们是不是照样上课？"

人性是以自己为中心的，他"当然"认为自己最重要。

就像虎妞，公司的大小事务一把抓，她确实重要，当她不来的时候，也确实会造成一团混乱。

问题是，会一直混乱下去吗？会一直青黄不接吗？由青变黄、春去秋来冬至之后，"春天"不是又来了吗？

就算青黄不接，也只是短暂的现象啊！

"穷则变，变则通"。当大家没路走的时候先是不习惯，接着则必须面对，面对之后当然会开出一条新路。

当虎妞离开之后，大家越是乱，越是团结，一起去解决问题；越是在团结之下，千辛万苦地把问题解决了，之后越可能产生一种心理。

赞美人有时比骂人还难，就因为当你骂人的时候，你有防备，知道对方可能反击；但当你赞美人的时候，就好像与对方示好、拥抱，岂知他突然抽出一把刀。

什么心理?

当然是排斥的心理——“你离开，给我们造成问题，以为我们死定了，我们偏没死，还活得好好的，比以前更好，你以为非有你不可吗？”

结果，离开的、那个给大家制造问题、自以为最重要的人，反而成为大家排斥的对象。

了解了这个人性，你就要知道——

要大牌不是不可以，但是一定得适可而止。

你是大牌演员，你可以今天不高兴，把剧本一摔，跑了！剩下制作、导演、场务、场记、灯光、摄影和其他的配角，在那儿无所适从。

大家只好收工，或拍一点没有你的戏。你是主角，你不来，他们有什么办法?

但是如果你久久不出现，大家忍无可忍了，导演把编剧找来，把剧本改了，或是以前拍的全不要了，你再回去，他还会要你吗?

如果你跟老公生气，提起箱子回娘家了，孩子哭、老公求、家人劝，你都不回头。

接下来当然是老公和孩子艰苦的日子。

他得早早起床，给孩子准备早餐，送孩子上学；他也得早早回家，给孩子烧饭，或带孩子吃馆子。

他还是天天求你回家。

但是渐渐地，他不去求你了，电话也少打了。你放心不下，主动打电话去，孩子匆匆忙忙接，说爹地正要带他们出去吃麦当劳、去游乐场。

然后说一声 “妈咪拜拜！” 孩子就挂了电话。

你是不是怔在电话前，心里千百种滋味？

你先使他们孤独无助，但是到头来最孤独的却是你自己。

老人家也一样。

你是老人，自认为重要，到处对人说：“我儿媳妇要是没了我，连饭都没得吃，那家里非成狗窝不可。”

然后，有一天，儿媳妇惹你不高兴，你去了别的孩子家，硬是不回去“当老妈子”。

过一阵，你想孙子、孙女，憋不住，回去了。

进门，你发现家里井井有条，见到孙子、孙女个个长得又高又壮。

这时候你是不是如同挨了一记闷棍——

这个家不是非有你不可啊！

开车时躲闪每一个小洞的人，绝不是最好的驾驶员，反而可能有较高的出事率。一个对每件不顺意的事都立即反应，而不往长远着想的人，不可能有大成功。

恋爱男女更要懂得这个道理。

你是娇娇女，隔两天发一顿小姐脾气，而且发得妙，让他总悬在你的线上。你若即若离，他患得患失，确实是个掌控他的高招。

但是，如果你小姐脾气要得太过了，这一天，在你大喊“你走啊！你走啊！”心想他一定会赖着不走的时候，他居然真走了，而且一去不回头。

你怎么办？

追，还是不追？

你不能没有的谅解 ▶

人性就是这么矛盾——

你不能没有他，你又可以没有他。

你没有他会活不下去，真没了他，你还是活得下去。

他不能没有你，他又可以没有你。

他没有你会活不下去，真没了你，他还是得活下去。

做人处世，你必须好好想前面这几句话。

你必须知道每个人都希望被重视，所以你总要让另一半觉得你没他一天都不行。你也应该使老人家觉得“家有一老，如有一宝”。

只有这样，你的另一半才会有安全感，你的老人家才会觉得存在有价值。

同样的道理。

你总要让你的部属觉得他很重要，这样，他才干得有劲。

你要分层负责，让每个人都有责任、有担当，这样他才能“自我肯定”。

但是相反，当你发现任何一个职员自以为了不起，好像公司非有他不可的时候，你也得检讨，是不是该让他换个位子了。

调动职位使他知道，他会的，别人也能做；使他有了新的工作，不得不学习；也使他坐一个位子太久之后造成的腐化，容易被发现。

即使你不常调动位子，也应该要求职员休年假。

他越不休，你越应该要他休。

因为他休假的时候，代班的人可以学习他的工作，有一天，他突然走了，你才能够适应。

代班的人更可以重新检视他的工作，于是你很可能发现被积压已久的文件、不清不楚的账目，或相关厂商的“神秘电话”。

就算他都没问题，当他度假归来，发现公司一切如常，能没有自

爱他，就要教育他、拯救他，用最快的速度、最大的力量，甚至最激烈的手段和言语，把他拉到安全的地方。对孩子、对父母、对学生、对病人，这都是当然的。

知之明，而像虎妞一样要大牌吗？

这个家不能没有我，这个家也可以没有我。

这个世界不能没有我，这个世界也可以没有我。

当有一天，我不得不走，希望我的家仍然快乐，希望这个世界仍然美丽。

这是每个成熟的人都应该有的认识。

Chapter 2

不公平的世界

人都要求公平，“不平则鸣”，甚至“不平则反”。

这世上绝大多数的争执、动乱，都因为“不公平”。

贫富差距、城乡差距、劳逸不均、分配不均，都是不公平。

“老孟！走啦！去吃大餐了！”谢主编拍拍老孟的肩膀。

“吃什么大餐？”老孟转头问。

“张大师请客啊！‘圆明园’耶！”

“张大师？”

“就是那位名画家兼美食家啊！”

“我不认识张大师，他也没请我。”老孟冷冷地说。

“他没请你？哎呀！”谢主编拍了一下自己的脖子，“我忘了你新调过来。”又笑了，“不管啦！一块儿去！他非请你不可，采访主任、副主任都请了，哪有不请副主编的呢？走！”

“我不去了，人家没请我，我干吗去？”老孟翻翻手上的新闻稿，“而且我这儿有一篇专访，小曹刚交上来的，乱七八糟，我还要改，走不开。”

这话倒让谢主编松口气，顺水推舟：

“也好！就辛苦你了。你看家，大家放心。”说完，转身找林组长和宋副组长，找不到，原来两人早站在门外等了。

“你们两个啊！馋！”谢主编看到二人，笑了起来，一边追过去一边骂，“上‘圆明园’跑得比谁都快！”

办公室四位主管，一下子走了三个。记者都还没进来，就剩老孟一人。

他妈的！有什么好吃的？老孟心里骂，站起身，经过谢主编的桌子，翻翻扔在桌上的请帖。

大红请帖上烫着“圆明园”三个大字。

这地方老孟早听说过，也是在自己报社里听说的。两三个月前，宫廷式的“圆明园”被告了，说它前面的雕梁画栋全是违章建筑，建管处下令限时拆除。

那新闻本来很大，结果被谢主编压下来，只登了短短几行，所以老孟印象特别深刻。

“这是什么地方？”老孟当时还问谢主编。

“咱们老总常去的地方，全世界第一流的餐馆，一桌菜没十万块钱下不来。”谢主编接着形容了一大堆，那里的装潢有多豪华，小姐多有气质，餐具多么考究。菜更不用说了，大概只有以前的帝王才能吃得到，怪不得去的全是达官显贵，也怪不得违建的事不了了之。

这种地方，老孟没去过。在南部分社当主编十几年，大新闻多半在北部，南部新闻少、饭局也少。就算有，也没那般排场。

“没这命吃！”老孟暗骂着，一个人走进员工餐厅。

关系该怎么用，面子该怎么卖，这是人际最大的学问。处理得好，如左右逢源；一招失策，则进退两难。

“上自老总、主编、组长、副组长，大伙儿全去吃大餐了，怎么就您没去？”餐厅老王居然哪壶不开提哪壶，害得一屋子的记者、职员都盯着老孟看。

老孟只好笑笑，没搭腔。他能说什么？说人家谁都请了，就没请他？

吃完饭，回办公室，记者都就位了，一摞新闻稿已经堆到老孟桌上。

“这么大一篇，谁写的？”老孟举起其中一篇问。

“我写的！谢主编交代我写长一点。”小马过来说。

“写长一点，也犯不着写这么长啊！全登它，还登不登别的新闻哪？”老孟没好气地翻着稿子。

小马笑嘻嘻地过来：“是啊！这张大师根本画得不怎么样，只是会摆排场、送礼请客。”

“那你干吗鬼扯这么多？”把稿子丢过去，“删！”

突然电话响了，接起来，先是一阵喧哗，然后是宋副组长的声音：“孟头儿啊！我是小宋啊！”宋副组长在那边喊，“谢头儿和林头儿都醉了，叫我打电话，问您张大师那篇专访上了没有？”

“上了！上了！”老孟喊回去。就听那边小宋对着一群人叫：“上了！上了！孟头儿说没问题。”又听见一个江北口音的人直喊谢，中间还夹着小姐唱歌的声音。

“大家都醉了，我送他们回家，恐怕就不回办公室了，麻烦您了！”小宋又在那儿喊。

“好啦！好啦！”老孟没好气地挂上电话。正见小马把刚分色打样的图片送上来。好大三幅画，足足占了三分之一个版面。

“谁的？”

“张大师的！”

“用得了这么多吗？”

“主编已经排下去了，今天文艺版没别的东西。”小马摊摊手。

“笑话！我这儿就有一大篇。”老孟把小曹的稿子扔出去，“这篇早该上了，连图片一起上。”

“那……那……”小马举着张大师的三张图。

“等谢主编明天回来再说，他今天醉了，不回来了！”

小马愣了一下，接着又笑了，把图片抽走，又把小曹的专访送到排版组。

排版组的王小姐居然还跑了过来：

“孟副座！张大师的新闻只上这么……谢主编说……”

“他们都喝花酒去了，我做主。你还多问什么呢？”老孟沉沉地吼了回去，“搞新闻总要有点良心，吃谁的就给谁登大一点，我不是这种人，也容不得这种事。就算老总下条子都不管用！”

老总果然下了条子——“为张大师加写一篇专访，立即刊出。”

只是，那已经是第二天晚上了，据说当天下午张大师画展的预展酒会到的人奇少，大家都说没看见消息。

老孟那天托病，没上班。倒是晚上接到个请帖，张大师派人直接送到家的。

“这请帖印得好漂亮哟！”老孟的大女儿一边走一边喊，“是‘圆明园’耶！哇！还请了妈妈，请咱们全家耶！”

你不可不知的人性 ▶▶

张大师的新闻硬让老孟给“挡”了，他为什么还要请老孟吃饭呢，而且一请就请了老孟全家？

因为张大师发现他犯了错，连采访主任、副主任都请了，却忘了副主编。

今天就算有主编护航，隔天再为张大师发个专访，改天如果孟副主编升上去做了主编，怎么办？

阎王好惹，小鬼难缠哪！

总经理交代下来要捧场的事，谁能保证新闻发出来，没有明捧暗贬？就算捧，也有大捧、小捧之分。

你或许想，老总、主编、主任都去“圆明园”吃了饭，第二天新

处世的艺术是双向的：从正面想，你要避免别人见到自己不光彩的时候，好比早上没化妆或晚上卸了妆就不出门；从另一个角度想，则应该避免在这个时间去敲人家的门。

闻只见“小小一块”，他们一定会回去怨老孟。

如果你这么想，就错了！

去吃饭的，是既得利益者，拿了好处的人好意思怨那没拿好处的人吗？

话说回来，换作是你，办公室的主管全应邀去了，就你一人没被邀请，你又能没反应吗？

不知你有没有读过《二桃杀三士》的故事？

齐景公手下的三员大将公孙接、古冶子和田开疆，自恃有功，谁的话都不听，而且结为异姓兄弟，朋比为奸，欺压百姓，号称“齐邦三杰”。

晏婴看不过去，想了个办法。有一天，齐景公赐宴，大家都半醉了。晏婴突然拿来六个桃子，鲁昭公、齐景公和两位大臣各拿一个，最后剩下两个桃子。

晏婴就建议景公叫群臣各自表功，由功劳最大的两个人吃。

公孙接说“我打老虎救君王有功”，于是得到一个桃子。

接着古冶子说“我在水里杀鼋救君有功”，于是也得一个。

这时田开疆急了，说：“我为国征战有功，为什么没有桃子？”

齐景公只好摊摊手：“可惜没桃子了。”

田开疆在群臣面前，觉得没面子，又在酒醉之际，居然一气之下拔剑自杀了。

公孙接、古冶子心想：我们是誓共生死的兄弟，只因为我们分了桃子，害得田开疆丧命。于是也都拔剑自刎。

于是晏婴用“二桃”杀了“三士”。

古人说得好——“不患寡而患不均。”

求公平是最基本的人性。

两个还不会走路的娃娃坐在一起，你给其中一人一根棒棒糖，另一个必定会去抢，就算不抢，他也要哭。

这时候，你补他一个玩具。

那嘴里含着棒棒糖的又要过去抢玩具，于是哭成一团。

人性就是如此，你有的我也该有，我独有的棒棒糖不能取代你独有的玩具。即使是不懂事的小奶娃，都知道要求公平，甚至据心理学家研究，连一个月大的婴儿都懂得“计算”。

对！计算！

当你在一个盒子里放三个球，先给他一个，再给他一个，这时候他虽然看不见盒子里的东西，却会继续等着你给他。

他等着第三个球。

而在你把第三个球也给他之后，他就不再盯着盒子看。

这“计算”的人性，一直由小到大，甚至到老。

当你吃酒席的时候，一盘大虾端上来，看来没几只，你是不是自然会算够不够分？

当你吃“铁板烧”的时候，师傅手起刀落，“嚓、嚓、嚓”把那牛排切成一堆小方块，再炒一炒，分到众人面前的盘子里的时候，你是不是会自然地偷看——别人会不会分得比我多？

如果你明显地发现每人都有八块，唯独你只有七块，就算不说，你心里是不是会不高兴？

当“冠盖满京华”的时候，“斯人独憔悴”，就益发“憔悴”了。

当“人人皆有”的时候，“我独无”就愈显得不公平了。

现在，让我们回到“张大师请客”的故事，也回头看看“二桃杀三士”。

请问你：

如果只有一桃，分给三人中的一人，另外两个人会觉得受辱而自杀吗？

如果张大师只请了总经理和主编，没请采访主任和副主任，老孟又会冒火吗？

当然不会！

这就好比大家排队买票，好不容易轮到你，刚要买，票房关了，挂出个牌子：“客满。”

你会不会生气？

你会生气——当你后面没有别人的时候。

你不会生气——当你后面还有一堆人的时候。

你会怒不可遏——当票房里走出一个人，越过你，把票卖给你后面人的时候。

这就是人性！

人性是在要求公平的时候，先看看有没有别人也遭受不公平的待遇。

如果只有“我一人”，那不公平就太严重了。

因为那不但是“不公平”，而且是“歧视”“藐视”和“侮辱”。

你不能没有的谅解

懂了这一点，你就该知道当东西有限，又不得不分配的时候，你一定要找个方法。

你可以说按年龄来，按性别来，年高的先得，或者女士优先。

你更可以用抽签的方法，谁运气好，谁先得。

你甚至可以把东西扔出去，让大家抢，就算抢成一团，抢得有人眼镜碎了，都比你自作主张，随手给几个人要好。

连摸彩都是如此，假使由你代大家摸。除了别看彩箱，你更要注意往上摸也往下摸，你不能只拿起那堆彩票里最上面的几张，也不能一直往深处伸手。

为什么？

因为人性啊！你只摸上面，他会想“我的在下面”；你只摸最下面，他又猜他的那张在最表面。

人都要求公平，“不平则鸣”，甚至“不平则反”。这世上绝大多数的争执、动乱，都因为“不公平”。

贫富差距、城乡差距、劳逸不均、分配不均，都是不公平。

甚至家里的争执，也常因为不公平。

所以，当你只有两只鸡腿却有三个孩子的时候，最好的方法，就是先在厨房把鸡腿分解成许多块。

你千万别把两只鸡腿完完整整地端上来。

所以，当你有四颗糖却有三个小孩的时候，最好先把一颗塞进自己嘴里，再一人分一颗。

你千万别说：“大毛乖，可以多一颗。”

所以，当你活着的时候，最好别分财产给子女；如果非分不可，则要平均分配。

你甚至不能口头说死了之后打算怎么分。

因为你只要表现了一点点的不公平，就可能立刻伤了亲情。

你尤其不可说：“某子女比较穷，我死了之后多分些给他。”

除非你的孩子出奇地好，否则必有人抱怨：

“问题是，他（那个比较穷的）现在是不是比较孝顺你，又多照顾了你呢？”

结果，你还没死，有些子女可能已经弃你而去。道理很简单——

心里不平！

即使你死后才宣布遗嘱，到时候你什么都不知道了，你也应该为孩子们想想，想想最公平、最不会造成争执的分配方法。

除非你希望见到子女在你的棺材前吵架，或是从你死后他们就再也不来往。

你也要知道，人们要求公平的情绪可以用不同的方式呈现。

当你的仓库人员来闹别扭，除了工作分配的问题之外，你也要想想会不会因为他在仓库热得要死，踏进公司，却发现大家在吹冷气而心有不平。

当你买了一样东西，而老婆大为光火的时候，你除了向她解说那东西的好处，也得想想她是不是另有一样东西总想买而舍不得买呢？

当你父母发现你在打电话聊天，明明你只打了三分钟，他们却要大骂的时候，你要想想父母是不是原来以为你在读书，生怕吵了你，连电视都不敢看？

至于为了打通关节而请客送礼，那就更得小心了。

如果你要请一个单位的人，最好只请上面的人，或是只请基层人员，再不然就全单位都请，绝不能跳过几个人不请。

否则那被跳过的人必定与你作梗。

如果你要送一个单位主管礼物，先要想想那礼物会不会被大家看到。

假使你只给几个人，别人见到会不会不高兴。

如果会，你就只能送去那些人的家里，或者干脆都不送。

否则你只可能弄巧成拙，坏了自己的事。

记住！

天平、地平、人心平，天下太平！

Chapter 3

老陈的报复

当一个贫穷的人主动去找富有的人，大家会说他是“攀附权贵”，说他是“贫而谄”。

当一个富有的人主动去找贫穷的人，人们看了却可能说“这个有钱人真是平易近人，一点架子都没有，真是‘富而无骄’”。

"黄董事长夫人，该交管理费了！"老陈故意冲着对讲机，扯开嗓门喊，让走进大厅里的几个太太都听到，"咱们整栋楼的人都早交了，就您府上没交，您再不交，我就得给您垫上了。"

跟着就见黄太太跑出电梯，还一边跑一边喊："对不起！对不起！我忙忘了。"

几个太太一边进电梯，也就一边学她的语气："我忙忘了！我忙忘了！笑死人了，只怕是手头紧，交不出来吧！"

她们故意要让黄太太听见，出出多年的怨气。一整栋大楼，没人喜欢黄董事长家。他们住顶楼，好像一年到头开冷气，一开就往下滴水，滴滴答答整夜吵人。

他们又爱应酬，好像不睡觉似的，三天两头打麻将，再不然就唱卡拉OK，半夜三更还在大理石地上拉椅子，吵得几层楼都听得到。

连电梯都让他一家占着，等半天，电梯不下来，八成就是停在他家；也不知有多少人进进出出，走的时候还按着电梯不放，大概是向黄董事长鞠躬吧！

全是烧香的！逢年过节，你单单由那电梯里掉的荔枝叶子、散发出的苹果香味，就能知道有多少人送礼。

“他家可真会吃。”老陈常对住户说，“十几篓十几篓的水果往上搬。他一家消耗的，只怕比咱们整栋楼加起来都多。”

老陈最痛恨的就是黄家了。

半夜三更，大门都关了，他们家的牌友还进进出出，害得老陈想睡个小觉都不成。

黄家自以为了不起，特别苛刻。有一天，老陈不小心让个推销员溜进电梯。黄董事长跟着就下来骂了，当着一堆住户的面把老陈狠狠修理一顿：

“要是来个人行刺、绑架，还得了？我们聘你当管理员，不是要你在这儿睡觉！”黄董事长拉长着脸孔，老陈只好站直了听训。

他妈的好像成了我的营长！当过连长的老陈恨在心里，就是我的营长也没这么骂过我啊！哪天把我惹火了，大不了老子不干，好好给你几拳。

没等老陈报复，倒是老天有眼，先让黄董事长垮了。号称是他自己开发的产品，居然抄袭了美国的东西，挨了告，勒令立即停产，已经生产的还得全部收回。

黄董的消息上了头版新闻，一早，大家全看到了，连不看报的也

这世界上一切不合理的事，都有个合理的解释；它愈是不合理，你愈是要小心，因为其中必定有你不知道的反方向的原因。

知道了，因为老陈逢人就报告：

“您看今天的大新闻了吗？黄大老板垮了，他这是活该！”

听说的人，也就十分幸灾乐祸地咒一句：

“报应！报应！看他以后还神气不神气？”

黄董一家真像唱戏的花旦——身段软。从一出事，态度居然就一百八十度大转弯。

以前见人只当没看到，从来不打招呼，现在则是主动开口，而且客客气气、柔声细气的。

以前难得在大厅里见到黄董，因为他总是坐电梯直接下到停车场；现在没了车子，连车位都租了出去，他当然得由大厅进出。

他居然主动跟老陈打招呼。换成老陈把脸一撇，装没看到。

有一天，黄董居然过去跟老陈道歉：

“对不起啊！老陈，您大概还在生我的气？”

“哎呀！我哪儿敢哪？”老陈嘴一撇，“您言重了。”然后没等电梯门关上就狠狠地大声骂，“到今天才道歉！对不起！老子不吃你这一套！”

其实整栋大楼都注意到黄家改了——

不再占电梯，不再半夜三更吵，不再拉椅子，冷气机不再滴水，连他那宝贝女儿见人都会叫伯伯、阿姨了。

只是大家也都跟老陈一样，把黄家当笑话谈：

“人垮了，一家倒都成了样儿了。真肉麻，真受不了。”

大家也私下猜：

“他垮了，赔那么多钱，怎么还不搬哪？”

黄家硬是没搬，一年多撑下来，居然来个大反转，翻案成功——美国法院判下来，他没侵权。

这下子，黄董事长公司的产品更红了。告他的那家美国公司眼看打不垮他，不但赔他一大笔钱，居然还要跟他合作，共享全球的市场呢！

“完了！他又神了。”大楼住户们彼此传递着消息，“以后又要滴水、拉椅子、占电梯了。”

老陈更火：“老天爷是瞎了眼！再不然就是里面有鬼，送了红包。”

不过大家这次全猜错了。

黄家真改了。不但改，而且变得更亲切。中秋节，家家都收到礼物，而且是由黄太太亲自送到门上：“我们公司客户送的，还不错，如果您不嫌弃的话……”

老陈的桌子底下更多，放了满满一大篓。住户们才进大厅，就闻到了香味。

又过一年，大楼门口拉上了红色的彩条，还挂了一个牌子：“黄某某竞选办事处”。

大楼里没人说话，因为大家都是助选员。

当选那天晚上，大厅里开香槟酒会，陪着黄委员出来接受喝彩，喊得最起劲的，正是近几个月来逢人就拉票的——老陈。

你不可不知的人性 ▶▶

贫而无谄难，富而无骄易。

当一个贫穷的人主动去找富有的人，大家会说他是“攀附权贵”，说他是“贫而谄”。

当一个富有的人主动去找贫穷的人，人们看了却可能说“这个有钱人真是平易近人，一点架子都没有，真是‘富而无骄’”。

细想想，这两者的动作不是完全一样吗？为什么却给人完全不同的感觉呢？

再举个例子——

在工厂生产线上的一群女工之中，有一个女孩子在偶然的机会认识了工厂的小开。

她下班之后去找那小开，让同事看到了。

那些女孩子会怎么想她、说她？

是不是会说她“攀龙附凤”？

但相反，如果小开主动到生产线上找那女孩子，感觉就不一样了。

喜欢怨天尤人的人，在遭遇挫折时，常非但不知自我省思，反而四处责难，造成对周遭人以及他自己更大的伤害。

人性很矛盾，“自尊”与“自卑”之间常常只是一线之隔。

日本人早期跟中国人一样，说西方人是“南蛮”，但是被“南蛮”“轰”了之后，开始了明治维新，就一百八十度大转弯了。

如果你看过日本当时的宣传画，一定会觉得很讽刺。那画上一边画了穿和服的人，一边画了穿西装的人，然后在后者的下面写上“文明开化”。

天哪！由“南蛮”的“蛮”，到学习他们，认为西方人才“文明开化”，这之间有多大的转变啊！

想想中国人不也一样吗？

那奇怪的“自尊”与“自卑”纠缠在一起。

早先看到中国女孩子挽着洋男人的手走，大家会偷偷骂：“做国民外交的！”

可是见到中国男孩子泡洋妞，就不见得骂了，说不定还夸两句：“这小子还真有两把刷子！”对不对？

人们会自尊、自大，甚至固执得自我封闭。对人充满敌意，常常是因为自卑和恐惧。

那恐惧则由于对对方的不了解以及对自己能力的没把握。

连小动物都如此。

当一只狗第一次见到你时，可能对你狂吠，一副要吃掉你的样子。

它真那么凶吗？还是因为它跟你不熟，不知是敌是友，所以害怕地狂吠？

当你扔过一块饼干，甚至只是蹲下身，对它亲切地吹口哨的时候，它就可能一扭一扭、一哼一哼地慢慢靠近你。

然后，你摸摸它、拍拍它，它则开始摇尾巴，从此成为你的朋友。

人与人为敌，常是因为立场，因为认知，甚至因为面子。

人们之间的敌意跟狗一样，常因为不知对方是敌是友，基于一种恐惧。

想想，都是人，人都有人性，都有良知，都有共识，其间会有那么大的差异吗？

今天竞选，你说东，他偏说西，这是为反对而反对，为了他的立场。

他不能讨好每个选民，既然你已经占了西边的，他只好站在东边。

他真的是只认为“东边对，西边错”吗？

竞选造势大会上开骂了，由陈述自己的政见、批判对方的政见，到人身攻击，批评对方“那个人”“那群人”。

他们之间真有这样的深仇大恨吗？

当然没有！

所以，当选举结束，那些攻击的言辞就不见了；那些已经告进法院的案子就不了了之了；那些极端的政见就一一软化，说是“还要好好研究研究”了。

假使当选的人懂得做人，主动去拜访反对阵营的头儿，你就会发现他们居然彼此竖起大拇指，勾肩搭背，互相推崇了。

“政治的可笑”和“人性的可爱”就在这儿。

政治上可以翻脸比翻书还快，握手比打架还快；两方人马还在下面对骂呢，上面的人已经开始有说有笑了。

相反的，原来似乎不共戴天、水火不容的人，能够“相逢一笑泯恩仇”，突然之间彼此谅解了、和好了，好得比跟他原来的战友还好。

对！好得比跟他原来的战友还好。

你会发觉，当双方是死对头，后来和好之后，常常显得特别亲密。

道理很简单——不打不相识，得来不容易。

你不能没有的谅解 ►►

现在让我们回头，想想黄董事长与大楼管理员老陈。

当黄董垮了的时候，他已经改变身段，与大家攀交情，甚至主动找老陈道歉。

住户和老陈为什么不接受？

既然不接受，后来黄董东山再起，大家又为什么改变态度，对黄董加倍尊重，甚至拥护他竞选？

当你细细看了前面的论述，就应当了解——

因为黄董垮了的时候，他的示好，只会让人瞧不起，那是“贫而谄”的“谄媚”——

你黄董现在不如意了对不对？

对不起！我们也“回头不要你”，我们也不吃你这一套。

相反的，当黄董又发了，而且更发了的时候，同样的动作，感觉就大不同了——

“这人真不简单，大人不计小人过，我们以前揶揄他，甚至侮辱他，他今天能计较却不计较，他真是‘富而无骄’啊！”

不仅贫与富会造成这样的差异，得意与失意也会造成不同。

今天你的男朋友变心了，交了别的女朋友，过几个月他被那女生甩了，回头找你，你还要他吗？

相反，如果那女生爱他爱得要死，是他自己回心转意、回来找你，你是不是会“芳心大悦”？

道理很简单：

如果是前者，你再接纳了他，你是捡人家不要的。

> “杀头的生意有人做，赔钱的买卖没人做。”他们随时看你的表情，从你进门的样子、你的穿着谈吐、你感兴趣的东西，没两下，他已经决定该怎么为你定个价钱。

假使是后者，你再接纳他，你是最后的赢家。

只要是人，谁不要面子呢？

同样的面子，“胜者”的面子要比“败者”的面子大得多，也容易给得多。

因为胜者已经有了面子，而且有不少面子，所以能拿出来分给别人。

你把面子分给你的对手，只可能让人觉得你有风度。

当然，给败者面子也要看时机。

今天当他败给你，他的人还围着他哭呢，你能去向他施益吗？

那动作看来只会是侮辱，是示威。

你必须等，等败者的情绪冷静了，激情的拥护者散去了，你的声望越来越高，他却“门前冷落车马稀”的时候，再轻车简从前去拜望。

而且你要把姿态做得极低，使他觉得你是真诚恳，使他的属下觉得“主子受到尊重”。

于是，他与你和好了，“他的人”也与“你的人”和解了，这不正是双赢吗？

最后，我要说两件事——

据《三国演义》记载，当曹操打败袁绍的时候，在袁的帐篷里发现许多书信，其中有不少是自己军中的人与袁绍暗中通信的函件。

你猜：曹操是不是回营把那几个吃里爬外的叛徒宰了？

他没有，他把信全烧了。

当日本著名的企业家堤康次郎经营的“武藏野铁道”在一九四五年并购了“西武铁道”的时候，他没有要被他并购的“西武铁道”改名“武藏野”，反而舍弃自己的名号，把“武藏野”改名为“西武”。

他说他的道理很简单——

“为了保住被并购公司员工的面子。”

记住——

你获胜时，既是最能施展抱负的时候，也是最能化敌为友的时候。

人没有永远的敌人，最重要的是你有没有那份胸怀和智慧，在获胜之后先伸出友谊的手。

Chapter 4

捉贼记

挑西瓜，要选大的。挑工作，要选“事少钱多”的。

人们的贪心，常是被引诱出来的。

“小尤啊！对不起，你大概正在吃饭吧？我是紧急求救啊！”钱太太在电话里喊，“我的浴室漏水了，漏到楼下，你能不能赶快来看看？”

小尤也真够意思，钱太太放下电话才十分钟，他就到了。

“我这里一点都看不出，可是漏到下面去了。”钱太太把浴室的门拉开。

“八成是墙壁里的水管裂了。”小尤只探头进去看一眼，就说，“我到楼下看看。”于是两个人冲到楼下张家。

“哎呀！哎呀！”张太太一开门就猛摇头，“你们来看哪！幸亏是浴室，要是漏到别间，就完了。”

小尤也是进去抬头看一眼，扭头就走：“简单啦！二十分钟就解决。”

跟着他上了顶楼，先关总水表，再回浴室，拿起锤子砸墙壁。

“别急！别急啊！”钱太太喊，“瓷砖都敲烂了，怎么补？”

“这种瓷砖，我多得是。”小尤说完，砸得更狠了，没几下，把墙面砸个洞，就见水往外涌，“看吧，管子破了啦！其实也不是破，只是转弯的地方坏了，钱太太你放心，两三下搞定。”

钱太太一听，乐了，对着正看报的钱先生说：

“我就说嘛！小尤最可靠了，改天咱们重修浴室，一定找他，对不对？”

“对！对！对！”钱先生咕咕哝哝地应着。

“对！”小尤在里面也听到了，走出来说，“你们这浴室真该整个翻修了。你看，瓷砖都松了，一敲，旁边的都动了。”说着回身，拿起锤子的一端，往瓷砖和水泥墙之间一捅，就见噼里啪啦掉了一堆。

“别弄了！别弄了！”钱太太直摇手，“我还没打算翻新呢！”偏偏她越喊，小尤越弄。两三下，半面墙的瓷砖全掉了，而且全掉进了浴缸。

“不铲不行啦，一动全松了，不把松的铲掉，根本没法补嘛！”小尤说，“没想到情况这么糟。”突然站起身，“水管已经补好，但是我得回去给你找瓷砖，再带包水泥来。”

看小尤出去了，钱先生起身进浴室尿尿，看浴缸里、地上一团乱，摇摇头说：

“幸亏有小尤，要不然，这么晚了，真不知道怎么办。”

问题是，等了十分钟、二十分钟，一个半钟头过去了，大毛、二

夫妻、朋友之间都要经营。要用建设的技巧，而非破坏的手段；宁做正面的猜想，不做负面的推敲。

毛都上厕所，冲水，没水——偏偏二毛又是大便，臭得要死。

钱先生打电话过去，小尤居然不在，是尤太太接的，说小尤又有急事出去了。

夜里十一点，钱先生又拨了电话。这次是小尤接的，却说找不到一样的瓷砖，要等明天。

“那我怎么办？”钱先生急了，“没水啊！”

“你自己到楼顶把总开关打开就成了嘛！”小尤说。听他那声音，居然好像已经睡了。

“我怎么知道哪根管子是我家的呢？”钱先生喊。

“你试嘛！这么简单的事。”

“你搞这么乱，”钱太太把电话抢过去，“我们怎么洗澡？”

“一天不洗没关系啦！”

钱先生只好拿着手电筒上楼顶。

这是他第一次上去，才知道顶楼加建了一大半，只剩一小块地方，横七竖八地排着许多水管。

钱先生用手电筒一根一根地照，都是十几年前用油漆写的字，早模糊了，大概只有小尤这种人认得出。

总算找到了，逆时针方向转，转不动，想必是开关不同，需要顺时针方向拧。

工作完成，下楼，一家人瞪着他问：“怎么还没水？”

钱先生也去马桶冲冲看，果然没水。灵机一动，掏出手机，又上楼顶了。

先用手机打电话回家，再一个一个试。一边试一边喊：“有了吗？有了吗？”

突然“唰”的一声，顶楼加建的窗子打开，有人在里面骂：“×！几点钟了，你吵什么？是不是小偷？”

钱先生吓一跳，转身正要解释，被水管绊了一下，手机、手电筒全掉了，还没来得及喊“不好”，已经狠狠地摔在大水管上，顿时失去了知觉。

所幸，立刻跑上来四个人。

两个是在电话里发觉不妙的钱太太和大毛。

一个是楼里的住户，上楼就骂：

“是谁捣乱，关了我家的水？”

还有一个，是警察，一边跑一边喊：

“你们让开，我来抓他！”

你不可不知的人性 ▶

小尤不是说“二十分钟就可以解决”吗？为什么拖了一个晚上都没弄完？

因为他先没想到浴室太老，瓷砖越捅掉得越多，最后搞得不可收拾。

小尤不是说他有同样的瓷砖可以补吗？为什么回去却找不到呢？

大概他有，也只是十来块，不可能一下子找到几十块。

看完上面的故事，你会不会这么想？又会不会这么为小尤解释？

问题是，那是真正的原因吗？

是问题越捅越大，还是小尤的心越来越大？

如果你还没想通，我就再举个例子吧——

赵太太经过水果摊，看见苹果挺漂亮。

“这苹果多少钱一斤？”

“五十块钱。”

赵太太挑了几个，正要递过去给老板称，抬头看见一盒一盒的水蜜桃。

“哟，水蜜桃出来了！”

“是啊！新到梨山白凤桃，甜得不得了！”

“打开来我看看。”

赵太太拿起一个，果然又香又白，又大又嫩，问老板：

“怎么卖？”

“一盒八百。”

> 即使你百分之百确定，也不能在言谈或任何行动上表现出来，即使那“掩不住的喜色”，都不可有。否则，你就可能空欢喜一场。

“太贵了吧！”

“不贵啦！”老板笑笑，“这么吧，算您七百。”

赵太太犹豫了一下，打开小钱包，一边拨弄里面买菜剩下的钱，一边想老公跟孩子就爱吃水蜜桃。可是再算算一盒七百，才六个桃子，一个要一百多，还是太贵了。

“太贵了！太贵了！还是买苹果吧！”赵太太伸手把苹果递给老板。突然灵光一闪，心想水蜜桃可以算便宜，苹果应该也能还价，于是问：“苹果也给个折扣吧！”

“不能哦！”老板把眉毛扬着，“苹果已经太便宜了，一毛都不能少。”

赵太太拿着苹果走了。

李太太也来了，一眼就看见柳橙：

“柳橙怎么卖？”

“便宜！正是产期，一斤才十块。”

李太太挑了几个，正要递过去称，看见旁边的苹果：

“这苹果也不错的样子！”

“是啊！”

“一斤多少钱？”

“五十！”老板拿起一个，“您看看，日本富士苹果，多香！”

“算便宜点吧！”李太太说，“我就不买橙子，买苹果了。”

老板想了想：“好吧，算您四十五吧！”

请问，为什么同样的苹果，赵太太还价，一毛钱不能减，李太太还价，却少了五块呢？

如果你还没想通，我再说个亲身体验给你听——

我觉得家里地下室有点冷，听说美国新开发出一种在地板底下拉热水管的暖房系统，就找暖气公司来估价。

人来了，我带他到地下室，量好了面积，也谈妥了三天之后把估价单送来。

可是就在他出门之前，我灵机一动：

“哎！这楼上已经铺好地板的地方，是不是也能换成新的系统？”

“当然！”他眼睛一亮，“把管子放在下面，从地下室的天花板上施工就成了。”跟着跑回车子，拿出一堆资料给我看。

“你就分开来估价，楼上和地下室各估一个。”我说。

三天后，估价单来了。楼上地方大得多，居然比地下室贵不了多少。

“因为你一起做，便宜得多。”暖气公司的人说。

但是又过两天，当我再找一家公司，只估地下室的时候，价钱就便宜太多了。

现在你懂了吧！

当你给孩子一个玩具的时候，他立刻高兴地收下。

但是如果你交给他两个，只准他挑一个，就麻烦了：他看看这个，看看那个，最后即使决定了一个，总觉得有点遗憾。

大人更是如此。

你旅行，进工艺品店，看见一个木雕，觉得太棒了，掏钱就要买。

但是抬头，发现那边还有几个。走过去，吓一跳，居然有几百个。

你买哪个？

只怕一个也不买了，对不对？

你不能没有的谅解 ▶▶

这就是人性！

挑西瓜，要选大的。

挑工作，要选“事少钱多”的。

这都还简单，真正的麻烦，是当你先让他觉得可以获得第一等的，再给他第二等的，明明已经不错，他却会不高兴。

前面说的修房子、卖水果、装暖气的人也一样。

如果你从头到尾都说“我只要水管不漏水就成了”“我就是要买苹果”“我只打算装地下室，别的全不想”，他们也就不会多想，不会“心太大”。

人们的心太大，也可以说人们的贪心，常是被引诱出来的。

想想，如果钱太太不多说那么一句——“改天咱们重修浴室，一定找他”；

如果我不问暖气公司“楼上是不是也能换成新的系统”；

如果赵太太不问“水蜜桃怎么卖”；

对方的心会突然加大吗?

也就因为他的心加大了，他希望你重修整个浴室、重装全屋子的暖气、买整盒的水蜜桃，于是——

明明可以简单解决的事，也变麻烦了；

明明可以便宜的东西，也变贵了；

明明可以减价的苹果，也一毛不能少了。

知道了这一点，你就要注意说话的方法，把目标先确定，别节外生枝。

再不然，则要像李太太一样，明明要买苹果，但是先问柳橙，再问苹果。老板为了卖成苹果，自然会减价。

知道了这一点，你也要避免遇到抢匪的时候，明明他原来的目的只是抢你的钱，却临时产生歹念，变成劫财又劫色。

所以如果他看中你脖子上的金链子，你最好一把抓下来，交给他，别等他自己伸手来摘（来摸）。

更重要的是，你跟任何人合作，无论他是亲戚、朋友或工作伙伴，都要情归情、理归理，千万别把他的心放大了，千万别把单纯的关系污染了。

这是一门很深的学问，请看下一章。

Chapter 5

爱护野鸡的人

这就是人性，它可爱，也可恶。一个人厚待他所爱的，就表示他不厚待他所不爱的。问题是，这当中真正受害的是什么人？是广大的群众，是这个社会，是公义与公理。

“来！我教你认识认识鸡。”

上班的第一天，主任就把他带到前面，隔着玻璃，看大厅里的男男女女、老老少少。

“鸡！鸡！鸡！鸡！”主任用手指，好像开机关枪似的，一个一个指，一下子指了十几个。

“天哪！好几个我看都是学生嘛，怎么会是鸡？还有——”他指指其中一个四十多岁的女人，“那根本就是中年家庭主妇，怎么会是鸡呢？”

“鸡！”主任斩钉截铁地说，“我说是鸡就是鸡，那是老鸡！”

“我说是鸡就是鸡！”

这是签证组最流行的一句话，也是大家最得意的一句话。

到领事馆去，他原本很不高兴，来了之后才发现，在这儿，大家更有成就感，最起码，你可以用自己的主观判断来决定一个人的命运。

对！一个人的命运。

你看！那女人站在那儿生气，她说她存了一大笔钱，就是要去旅行，为什么不给她签证。

另一个女孩子坐在角落里哭，手上抱了厚厚一摞文件，证明她是应聘，还拿了她的房契和存折，表示她一定会回来。

可是，没有用。

只要签证人员认为你可能在我们那里非法打工、假结婚、操贱业，当个非法移民不回来，我们就可以告诉你："对不起，你没通过。"

当然，一次没通过，隔一段时间还可以再申请，说不定就通过了。

所以到这儿一年间，他看到不少熟面孔，有的哭了又哭，有的第二次来，就笑了。

说不定换了个签证人员，也说不定她换了发型和妆饰，打扮成良家妇女的样子，就会骗过领事人员的眼睛。

不过说实在话，即便到今天，他已经自认为是"老鸟"，一般鸡绝对逃不过他的法眼，还是有些女人，他怎么看都不是鸡，偏偏同事就不让她们过。

同事说得好——这年头，鸡都扮成了女大学生，女大学生也有不少去做鸡。

无论你如何淡泊，无论你如何不喜欢跟人争，当你遇到不平的时候，一定要表态，否则你非但不会被尊重，而且可能被歧视。

但是今天，他确定同事是弄错了。

他认识她，那是和他同住一栋大楼的女学生。他看过她抱着书上学、放学。

可是，今天却看见她在哭。

这女学生倒不是坐在领事馆里哭，而是坐在他家大楼的门厅里哭。

他一眼就看见了她，过去问发生了什么事。

“我办留学签证，没通过。”她手上拿着入学许可，晃了晃。

他接过来，看看，是真的入学许可。

浑蛋！他心里暗骂，是谁这么没长眼睛，这是真的大学生啊！嘴上则安慰：“别哭！别哭！改天再去嘛！说不定就过了。”

那女生果然过了。

是他，让她过的。

过的第二天，他去找那女生，倒不是邀功，而是去质问：

“是你留这笔钱在我信箱里的吗？这是违法的！”

女生直挥手：“没有！没有！绝对没有！”

他就转身走了，到办公室把钱交给了主管，还得到一番嘉奖。

女生自从拿到签证，就忙着办出国，他常见她大包小包地买东西回家。

女生也常在大厅等他，向他请教一些选课的问题。后来还有些女生的同学，一起来向他请教。

那些女生也都要去留学了，她们原来都没拿到签证，第二次走运，也拿到了。

出国之前，女生们办了一个大派对，一大帮“同学”去参加。

他也去了，开着他新买的奔驰跑车。

即使多年之后，他在本土服刑的时候，那邻居女生也还去看过他，谢谢他对她们“集团”的照顾。

你不可不知的人性 ▶▶

这个故事写得很含蓄，希望你已经看懂了。

让我们回头想想，他是个怎样的人。

他本来就是不正派的领事人员，一开始就打定主意受贿、收色？抑或他原本是个有为有守又富同情心的年轻人？

他是怎么上钩的？

用“上钩”这个词，可能还太浅薄，要知道，这世界上真正会钓的人不见得先在钩上装饵。他是先钓住你，再喂你吃饵，而且吃毒饵，使你上瘾，最终上钩。

前面故事里的女生不正是如此吗？她没有色诱、没有利诱，是他自己去找她，问她为什么哭的。

他也不是因为她行贿而给她签证。

问题是，慢慢地，他发现，当他卖了一个人情之后，接着就有一个好处。那好处又不知从何而来，退也退不回去，最后只好接下来，而且越接越多，不接白不接。

我们可以这么猜——起初女生还为他介绍自己的“同学”，请他照顾。后来，则由女生陪同他不认识的女人前往签证处，他只要看见那女生，心里就有数了。

于是一个带一个，许多一眼就看出来的鸡，也拿到了签证。

树的腐化是慢慢发生的，人的腐化也是如此。而且几乎所有的腐化都有个堂皇的借口，所有的腐化都有个人情的外衣。

导游每次带旅行团去土产店，店老板都有所表示。

起初是送瓶饮料、送包香烟，后来是送礼物、送钱。

对商店而言，这家送，那家岂能不送？不送就是失礼。

对导游而言，这家特别多礼，那家毫无表示，人是情感的动物，自然要礼尚往来，你以后会把客人往哪家带？

管区警察，进茶馆有免费茶喝，进咖啡馆有免费咖啡喝。他是人民的保姆，辛苦巡逻，奉碗茶、送杯咖啡，有什么错？那是应该

我们常说“客随主便”，问题是，许多人以为为主人省钱就是客随主便，却没想到主人可能反而希望借机会“花钱费事”。处世不难，你只要从对方的角度想想，就可以知道应该走的方向。

的嘛！

问题是改天这警察进咖啡馆，发现有少女好像在坐台。

他是不是可能“没看到”？

医生给病人开刀，前两天病人家属先包了红包，准备了好酒送到医生家。

大家都知道，一天当中“第一刀”最好。手术室特别干净，医生护士精神特佳。

大家都知道，许多医院病床有限，常不容易住进去。

大家也都知道，医生门诊挂满了，只要医生签字，就能加挂。

请问，如果你是医生，你会对谁特别关照？

社区大楼管理员，三节都加发奖金，是管委会早规定、再由住户分摊的。

但是张太太偷偷塞一千，王先生私下赏两千，既然厚薄有差，是不是也亲疏有别？管理员对所有住户的态度会完全一样吗？

这就是人性，它可爱，也可恶。一个人厚待他所爱的，就表示他不厚待他所不爱的。

问题是，这当中真正受害的是什么人？

是广大的群众，是这个社会，是公义与公理。

你不能没有的谅解

如果前面说得还不够清楚，我再举个例子——

某西方国家高级社区，为了维护社区的美好环境和面貌，成立了社区建筑审查委员会，并聘调查员一名。

任何人家要改建，甚至换个大门、修个厨房，都得委员会审核水电建筑工程人员的执照之后，才准动工。

有一家中国人搬进去了，沿袭他在台湾的习惯，要加装铁窗，觉得这样才安全。

调查员说太难看，不能通过。

主人私下塞了点“好处”。改天，居然通过了。

过些时候，又有一家中国人迁入，要盖个中国式花园，听前辈的话，早早就去拜了码头，备了礼。

也通过了。

过了一阵，还有中国人迁入，要建“和室”，照方抓药，也过了。

又过半年，又有家中国人搬来，要把旧窗换新，送上申请书；别的白人同时送的，早都下来了，就这中国人的下不来。

他的申请很合理啊！只是换窗，当然没问题。

为什么迟迟没消息呢?

是不是有种族歧视?

又为什么要特别歧视中国人呢？

调查员在“等”什么？

中国人害了中国人，华人送礼的习性也害了自己。

你去问问美国研究所的教授，哪个不知道中国学生爱送礼。

第一天见面送礼，暑假返乡探亲回来送礼，过年更会送礼。

这样久了，习惯了，如果你是教授，看见一个新的中国学生第一天来，却双手空空地走进办公室，你会不会有点失望？

如果你对送礼的学生多一分照顾，多一分笑容，多给一分方便，多开一扇“方便门”“补考门”……

这代表的是什么？

我再问一句很简单的话：

那些莫名其妙，只要开刀就一定先送医生礼物的病人，你说希望医生给你缝漂亮一点，是不是表示不送礼，医生就会缝丑一点？

如果医生确实如此，表示一定有人倒霉，表示医生没有尽责。

如果医生不受影响，你送，又有什么用处呢？

是人就都有人情。

当有人问孔子“以德报怨何如”的时候，孔子回答：

“何以报德？以直报怨，以德报德。”

是啊！如果你对谁都一样，亲疏不分，内外不辨，你怎么报答那些对你“真好”的人呢？

可悲的是，人们走后门、攀关系，“恶质文化”就这样产生了。

于是，不攀交情、循正途来的人，可能在门外排队三小时；走后门的伸手递进去，立刻就拿到了。

生重病的“小民”等三天没病床，割眼袋的“自己人”居然能占一整间病房。

是谁害了大家？

害得那些原本正直的官员不再正直，害得原本公平的社会不再公平？

如果你是官员，千万要拒绝收礼，免得上了钩，在不知不觉中腐化、溃烂。

你应该学美国的税务人员。

被突击查税的美国公司都知道，如果有一天进来一批人，每人手上拿了一瓶矿泉水，必是税务局的。

因为上面规定，他们得自备饮料，连一杯白水，都不得接受招待。

如果你是老师，也该拒绝收礼。即使教师节不得不领受学生的敬意，平常也应该像美国的某些小学一样，由学校发给家长们一封通函——

“不得送老师任何礼物。”

只有这样，你的爱才能真正无私，你的态度才能真正公平，你的看法才能真正客观。

这是人性，我们大家都该有的谅解。

Chapter 6

老莫的房事

马戏团的驯兽师有句格言——

“在你把自己的头塞进狮子的嘴里之前，别忘记手里握着鞭子，以及先喂饱你的狮子。”

老莫今天真是高兴极了，因为老领导桑将军要来他家参观。

不！应该说要去他未来的新家参观。

提到这新家，老莫就更兴奋了，而且已经兴奋了两年多。当然也可以说，他是在沮丧四十年之后才终于兴奋起来。

“都是因为老领导的爱护，我这烂房子才能改建。”老莫对桑将军行了一个三十年前的举手礼，两只破皮鞋“咔”的一声，十分有当年在第一线、桑将军去视察时的帅劲儿。

“不不不！应该说你们受了几十年委屈，公家亏待你们，到今天才能补偿。”桑将军居然过去跟老莫握了握手，还拍了拍老莫的肩膀，让老莫的老泪差点掉下来。

在眷村改建户夹道鼓掌欢迎下，桑将军由黎少将陪同，走进新建的大楼。

“就是这栋吧？”桑将军一进门，就回头问黎少将。

“是！”

桑将军抬起头，环视了一下大厅：“了不得！这大厅还挑高，简直有大旅馆的气派嘛！”转头问，“谁设计的？”

“报告将军！是一个建筑系研究所刚毕业的学生设计的。”黎少将小声说，“一毛钱也没花，就算他服役的工作。”又拉高声音，“这全是因为您三年前下达的命令，让那些学有专精的人能够各展所长。”

“设计得真不错！”桑将军扬着眉说。

“是啊！报告将军，现在那士兵已经退伍，听说被一家建筑公司重金礼聘，专接大项目，这也全因为人家看上他成功设计的咱们这栋大楼啊！”

电梯往上升，由新式透明电梯望出去，市中心的景观全都映入眼底。

“这眷村地点还真不错。”桑将军说。

“是啊！当年一片烂房子，四周全是田地，现在老市又饱和了，向北区扩张，一下子，这块地居然成为黄金地段了。”

电梯停在楼顶。

走出来，将军深深吸口气:“高处，空气真不错。”回头问，“这是第几楼？”

“十六楼。”

“十六楼？”桑将军一怔，“咱们眷村不是都盖十二楼吗？”

“报告将军，您大概忘了，是上了签呈，特批的。因为这地基特别坚固，下面十二层又省了不少钱……”

人都有传话的毛病，遇到他的独家新闻，他更是要传，表示他神通广大。问题出在，他传的时候可能不会传全部，而是添油加醋。

“省了钱？”桑将军踩踩脚下的红色花岗岩，“这材料不差啊！”

“是啊！一流的石材，是前线第二师去年做工事开出来的，他们觉得颜色不错，就跟石材厂合作，对半分，由石材厂免费切割打磨，所以没花什么钱，还省了不少。”

“真不错！真不错！”桑将军推开一户，直直走向窗口，看下面公园的风景，抬起头，望见公园那侧的白色大楼，“那楼有点眼熟，是……”

“是佛朗哥元帅住的银宫大厦，您常去的。”

“对呀！”桑将军想起来了，上次在元帅府打桥牌时，远远看见这栋大楼，还问元帅夫人是什么豪宅呢。

“这位置、这景观，可真不比元帅府差。”桑将军拉开门，走到阳台，往下看，正下方还挤了一堆又矮又烂的房子。

“那批眷村就要拆了。”黎少将指着那里说，“是第二阶段的工程。盖在后面，八层。分配完，还剩三十四户，由总部再分配给外面的官员。”

“还有剩？”桑将军眼睛一亮。

“是啊！平地变高楼，地方大多了。去掉中间的绿地，还是有多的。”

“要好好分配，公平分配。”

“是！我们绝对公平，用抽签的方式。所以顶楼这一户，由莫士官长抽去，虽然他官阶最低，也没人敢说话。”

“有人说话了。”桑将军离开不久，老莫就听到消息，对老婆说，“咱们的房子怕会有变。”

“公平抽签，谁敢放屁？”莫太太一瞪眼。

“小声点！”老莫比了比手势，“因为上面规定眷村改建不准超过十二层楼。这房子十六层，违了规。”

“上面批的，什么违规不违规？”

“可是上面说有人讲话了，而且都是高级领导，说咱们乱了规矩，以后别的眷村都要比照，摆不平。”

“这怎么办？”莫太太的脸一下子白了，“不会让咱们落空吧？”

“我明天去打听打听。”老莫沉沉地说，“听说最好的情况是咱们轮第二批，八层楼的。”他叹了口气，“八楼，也不坏了！毕竟比咱们现在的狗窝好太多了。”

老莫果然得到了八层楼那个，而且以最快的速度施工，一年就可以搬进去。

至于前面的大楼，则按官阶，做了重新分配。

当他发现你作了大弊，可以立即将你绳之以法的时候，他都忍着，不吭气。为什么？放长线，钓大鱼。到那天，你过去建立的名誉、地位，你所拥有的财富、人脉，都成了他的利器。

大楼的门厅也做了更改，设置了一个警卫室，又加了摄像监视器和红外线侦防设备。

眷村靠大楼的门封闭了，大家改走后面的巷道，据说是为了美观，更为了安全。

安全确实非常重要。因为佛朗哥元帅常驾临前面的大楼，每次来，都有七八辆车开进，又跳出十几个保镖。

据说他是去顶楼桑将军家打桥牌。

你不可不知的人性 ▶

桑将军未免太黑了吧！

明明由老莫合法抽签分到的房子，半路却被这个昔日的老领导夺去，而且只怕其他眷村的人也连带受了影响。

桑将军是怎么想的？

他会不会想：这么好的房子，地点好、建材好、视野好，又碰上一流建筑师的设计，怎么能给个小小的退伍士官拿去？

他会不会想：这种跟佛朗哥元帅府不相上下的房子，比我桑某人住的都高级，岂能不先轮到我，而由那老莫分去，这不是没有伦理了吗？

这就是人性！

“连我都没有的情况之下，你能力比我差、地位比我低，怎能让你先拿？”

想想以下的情况——

新闻部的主管，发现出去采访的小记者，居然获得采访对象赠送的名贵礼物，他会怎么想？他会怎么讲？

一个出众的女孩子，发现她暗恋的男孩子居然跟远不如她的女同学交往，她心里会有多么的不平，她又会说什么气话？

一个绕来绕去、找停车位已经半个钟头的人，看见另一辆车，好死不死才开到，就碰上有人离开，于是停了进去，他会在心里怎么骂？

你甚至会遇到一种人——他上车，发动，正要倒车离开，发现你开车过来，等他的停车位。环顾四周，全满了，早先他也是绕了半个钟头才停进来，他该为你高兴，你比他走运，正赶上他要走，对不对？

错了！

他把火熄了，居然一副悠闲的样子在车里抽起烟来，还用眼角瞄你，你越着急，他越得意。

你读过《史记》里的《伍子胥列传》吗？

楚平王为他的太子到秦国去找媳妇，准媳妇找来了，居然没交给

人性是很妙的，基本上，对于负面的事我们会假设：“即使我做得不够好，对方也可能看不见；就算看见了，也可能放一马。”

太子。

为什么?

因为那女孩太漂亮，楚平王自己要了。

你看过报上的新闻吗?

一个漂亮的女学生被补习班老师性侵犯，跑去向班主任告状；班主任听她说，越听越“兴奋”，也侵犯了那女学生。

甚至有弱智的女孩，向亲友诉说被男生性侵犯，那亲戚长辈居然也侵犯了这女孩子。

想必你也总听说这样的事——

原来专扫荡赌场和应召站的警察，退休之后居然成了保护赌场和色情场所的人。

还有，前去抓应召女的警察，看到那女人的姿色，居然自己也伸出魔爪。

更可怕的是，宗教界的神职人员，本来听信徒诉苦、告解，为人灌溉心灵，居然也成了性侵害者。

请别怨我写得太毒。要知道，这都是人性。

越是能解决问题的人，越是接近问题的核心，也越容易被感染，自己成为问题。

如同涉水采莲，手上采的是纯洁无比的莲花，而脚底下却踩着污泥。

想想，如果你是警察，发现自己日晒雨淋、早出晚归，赚得还不如一个赌场的小弟；当你躲在“黑暗的角落”，去挖掘“角落的黑暗”的时候，发现原来不少白道的人比黑道还黑……

你是不是容易动摇？

再想想，如果你是神甫。

在那告解室里，隔窗听那平日看来如此美丽高贵的女子说出她心底的话，道出她犯的罪和秘密时，你会不会震惊？

原来人是这样的！原来高贵不可侵犯的表层下是“这样的”。

你是不是更了解人性，更能看穿一切？

如果你“灵性”不足，是不是可能“心动”？

所以，警察和神职人员，可能比平常人更容易受到诱惑。如同医生，假使不知自我保护，反而比平常人更容易被疾病感染。

你千万不能因为他是警察、医生、教士，就对他百分之百地信任。

你绝不可忘记——他们都是人，不是神！

当原来的“互利”变成“互害”，在利益上有了冲突，则原来的朋友可以变成敌人。当原来的“敌对”变成“共荣”，在利益上可以结合，则原先的敌人可以成为朋友。

你不能没有的谅解

是人，就有人性的弱点，就容易被诱惑，他们尤其会被那些看来唾手可得的事情诱惑。

就像前面说的，楚平王会想，这么美丽的秦女，我身为一国之王都得不到，哪能先轮到别人（包括他的儿子）？

做领导的会想，我都盼不到这么好的房子，你一个小士官凭什么住进去？

他们不会想，那是你应当得到的、可以得到的，甚至是“他让你得到的”。

要知道，这世上许多“夺人所好”的人，都有个心理背景，就是“没有我，焉有你”，“没有我拼命，你哪有今天”。

举个例子，你开诊所，从药厂买来最普通的药，加点水冲一冲，混点凡士林搅一搅，或磨成粉，塞进胶囊，就一颗一颗卖，一把一把赚。

你的护士、员工，看你一本万利、白花花的银子进来，他们再纯洁、再忠实，时间久了，能不心动吗？

当一个慈善组织在媒体上宣布一个活动，透露一个可怜的个案时，大笔的善款就滚滚而来。

没错，在这组织中的都该是有爱心的人，但是人毕竟是人，当他看那善款多得惊人，而他自己的薪水花起来却捉襟见肘的时候，他能没有不平吗？

如同前面说的，他会想："没有我为你们这些可怜人登高振臂，你哪可能有今天？"好比桑将军想："没有我为你们争取，你们眷村怎可能改建，建得如此漂亮？"

在这心态之下，如果财务不健全，当然容易出问题。

人性是要先知道，再去谅解的。

当你了解这可悲的人性的时候，不要往反方向去猜忌每个人，而应该往合理的方向去想，应该如何避免弊端的发生。

基督教《圣经》里记载得很清楚——

"牛在场上踹谷的时候，不可笼住它的嘴。"

犹太社区有个共识——

教堂里教士的薪水不可低于一般教友。

美国警察界有个规定——

退休警察仍然可以领十足的薪水，但是只要你与违法组织挂钩，不但要被抓，而且从此一文钱也领不到。

马戏团的驯兽师有句格言——

法看来是硬的，情看来是软的。但法是人定的，也由人执行。执行的人有情，这法就有了弹性。情与法的不够分明，是我们社会的通病。许多人在这当中得了好处，许多人被这样吃死。

“在你把自己的头塞进狮子的嘴里之前，别忘记手里握着鞭子，以及先喂饱你的狮子。”

请想想这些道理。

Chapter 7

超级天才的研究

“公理”，顾名思义就是“公众认为的道理”。问题是，多少人是“公众”呢?

一个十亿人口国家定出的法律是公理，一个十万人口国家定出的法律也是公理。往更小的地方想，一个家庭里可能也有他家的公理，一个法律到不了的乡村可能有他村民的公理。连在一辆车上，那司机的话都可能成为“法律” 。

“于直这次得奖，不但是你们欣欣社区的荣耀，也是本县的光荣。于直高一能得到科学竞赛的冠军，本人相信，不出十年，他一定会是诺贝尔奖的得主！”

县长的话还没完，礼堂里已经响起一片如雷的掌声。

在掌声中，县长把金牌挂在于直的脖子上，接着又抬来一个两尺高的大银杯，先高高举起，再交给于直，还给了于直一个紧紧的拥抱。

台下的掌声就更疯狂了。

今天确实是欣欣社区疯狂的日子，从于直代表学校参加省赛夺冠，大家就开始注意，甚至私下猜于直只是运气好——以这欣欣社区欣欣中学的水准，绝不可能在大赛得奖。

所以，当初赛、复赛，于直都过关，去参加决赛口试的时候，全社区都轰动了。

不但学校每天向学生公布最新的比赛消息，社区报纸也天天以头版头条报道——当得第一名的消息传来时，甚至发了号外，并且一抢而空，这是社区办报以来第一次的号外呢！

表彰大会结束，记者还缠着于直不放。更有那成群的小女生尖叫着要于直签名。幸亏校长聪明，一声“抬”，叫几个壮硕的大男生把于直抬了起来，高高的，像是坐八抬大轿似的冲出人群。

校长最近真是兴奋极了，因为原本默默无闻的欣欣中学出了个知名的人物，水涨船高，学校也一下子身价百倍。

没有好老师，哪能发掘出这么好的天才；没有好校长，又如何领导出好的老师？

信不信由你！最近欣欣社区的房价都上涨了，好多附近乡镇的人家都在打听房子，想要搬过来。道理很简单——送孩子进超级名校。

出超级天才的学校，当然就是超级名校！你不见媒体都来报道欣欣中学吗？你不见县长妹妹一家都搬来了吗？

当然，超级天才也一定出身超级家庭。

自从于直得奖，于家的客人就没断过。除了记者、要求于直挂名的补习班、慕名而来的居民、崇拜英雄的小女生，甚至有媒婆和不要脸的家长要为于直说亲。

他贴心的问候，是特别有心安排的。但是哪个贴心能不现有心呢？有心是贴心的第一步啊！先要用心，才能贴心；姿态对、场合对、时间对，先成功一半！

于妈和于爸可乐坏了，尤其于妈，每天编一套——于直小时候吃多少个月的母乳、怀孕的时候怎么做胎教、平常给于直吃什么、看多久电视、睡什么枕头、喝什么饮料。

据说已经有出版商要为于妈出书了。

说来还是于直够直，也够实在。他很少说话，把门一关，看自己的书，做自己的研究。

提到于直的研究，大家可真好奇极了。

于直不说，只知道他找了很多参考资料，还总是上网、写信、打电话，好像在向全世界的专家请教。

他也总是拿个小仪器在四处串，甚至要求进入别人家的地下室采集标本。

当然，那些被他“登门”的人家，必定倒屣相迎，甚至把堆在地下室的家具、杂物搬开，好让于直做研究。

“你下次得奖，我们会不会沾光啊？”每家的大人都问，“会不会也被带上一笔呀？”

大家甚至要于直在地下室的墙上签名，表示“于直到此一游”。

经过三个多月，于直终于透露他研究的内容了。

也不是于直透露的，是他的物理老师说的。他的物理老师其实对于直研究的东西根本不懂，也没帮上任何忙，只是为了邀功，向于直打听到一两句，就说了出去。

“于直研究得非常尖端，是一种气体，叫作氡气，是化学元素，符号Rn，有医疗价值。”

哗！这下子就更轰动了，那些被于直造访过的人家纷纷打听自己家是否就有这种宝贵的“氡气”。甚至外地有人专为此到那些人家，要求在地下室待待，以求获得灵气灌体，治病强身呢！

于直采样，据说是送到美国国家实验室鉴定。于是又有人说欣欣社区要发了，好比地下挖到了石油，这稀有的、可以治病的氡气，就将使欣欣社区的土地身价万倍了。

“不要这么想嘛！”于直有一天对于妈抱怨，“为什么都想发财呢？氡气是有放射性的，我是在研究有没有害，不是研究能不能发财。”

过两天，校长就把于直和他的物理老师请去了。

“听说咱们社区的氡气有放射性？不会吧？”校长问。

老师没吭声，他一点都不懂，看于直。

于直点了点头：“对人体有害，可能会造成癌症。”又笑笑，“不过我还在研究。”

又过几天，县长也派车来了，把校长和于直请去办公室。

“听说你研究的氡气，可能对人体有害？”

不要因为你有清誉就沾沾自喜，认为自己无欲则刚，认为谁也没办法找你麻烦。要知道……你的“刚”就犯了某些人的忌。“卧榻之旁，岂容他人鼾睡？”

于直点头："昨天我收到了化验结果，没错！氡气多半在地下室，而且有些人家的浓度相当高，地下室就成了'辐射屋'。"十七岁的大男孩一副舍我其谁的样子，"我就是为了大家的健康而做这项研究的。"

县长和校长的脸色都变了。县长低着头沉默一阵，起身，拍拍于直的肩膀：

"好青年！好青年！你研究得真是好极了，先别说出去，好一鸣惊人。"

校长也拍拍于直的肩膀：

"天才，你的报告在发表之前，能不能先给我看看啊？"

于直果然把厚厚一沓报告交给了校长。

只是报告到了校长手里，就石沉大海。

"我的报告呢？"于直憋不住了，就跑去问，"科学大赛就要送件了。"

"不急！不急！到时候我们帮你寄。"校长哈哈大笑着。

还是于妈消息灵通，知道于直的报告被送到了欣欣社区管委会，社区还特别为此开了个秘密会议。

"那些家伙挺神秘的。"于妈说，"还不准我多问。这是我儿子的研究，是全社区的荣耀，我当然要问。"

话才说完，社区委员会的主委就在校长的陪同下登门拜访于妈了。

拜访是在于直上学的时候，于爸还特别为此赶回家。大家关门谈了两个多钟头。

于直回家，于爸、于妈又跟儿子谈了半天。先关着门，没声音，突然听见父子对吼——

“我当然要寄！我当然要寄！”

“我不准！就是不准！”

于直的报告没拿回来，虽然存有底稿，他也确实没寄。

因为县长和校长都建议他再深入研究研究，准备得更完善之后再参加隔年的比赛。还说要为于直成立个特别奖学金，支持他上大学、研究所，一直到博士班毕业。

只是，没过多久，校长就调到南部去了。

县长的妹妹也搬走了。

连物理老师都不见了。

欣欣社区变得真快，住户一下子搬走了一大批，换成想上“超级名校”的一批新家庭搬进来。

可惜的是，于直也搬走了，因为县长帮于爸介绍了新工作。

于直的论文始终没发表，倒是用那份研究申请进了名校，而且一路上去，拿到了博士。

他没拿欣欣社区的特别奖学金，也没再回过欣欣社区。

你要以“老师盼学生得状元”的心态去对待每个从你身边出去的人。你也要想想，今天换作你，你翅膀硬了，会不会也要飞？

因为欣欣社区已经不见了。

你不可不知的人性 ▶

于直不是超级天才吗？为什么他辛苦半年多做出的研究报告，没能参加最后的比赛呢？

县长、校长不是把于直捧上天了吗？为什么后来对他改变了态度？

因为于直发现社区有危害人体的氡气，要是传出去，房价就要大跌了。他的发现，对社区确实不错，使大家知道“避之为妙”，所以知情的人压着他，不要他走漏消息，一个个把房子高价脱手，逃之夭夭。

往简单的地方想，这故事反映的是自私的人性，但是，向深一步探索，则呈现出几个非常残酷的问题——

什么是公理？什么是真理？什么是正义？

“公理”，顾名思义就是“公众认为的道理”。

问题是，多少人是“公众”呢？

一个十亿人口国家定出的法律是公理，一个十万人口国家定出的法律也是公理。往更小的地方想，一个家庭里可能也有他家的公理，一个法律到不了的乡村可能有他村民的公理。

可不是吗?

想想!在过去中国的乡村，当一个妇人通奸被抓，放进竹笼，抛到水里，等一炷香的工夫，再拉上来，是活是死，全看造化。

是谁下的令，认为可以这样处决?

是宗族里的长辈!那几个人只因为多活几年成了族长，就能决定晚辈的生死。

再想想，许多西方人的船上都挂个牌子，写句话——

“船长的话就是法律。”

这句看起来像开玩笑的话，难道不是真理吗?

连在一辆车上，那司机的话都可能成为“法律”。

说个故事给你听:

有一年我在某乡间坐巴士，车子前面挂个大牌子——“禁止吸烟，违者罚款”。

突然传来烟味，我举目张望，一车人都没抽烟，最后终于找到了，是司机在吞云吐雾。

那时候年轻气盛，我立刻喊:“对不起!车上不准吸烟!”

你猜反应如何?

同样一件事，为了同一个目的，甚至说出的句子也一样长，但不同人说，可以给人完全不一样的感觉。为什么?因为看事情的角度和心态不一样。

居然全车人都不吭气，非但不吭气，而且看那司机不听，竟有人说："司机可以抽烟，他辛苦，让他抽吧！免得他精神不好，出车祸，大家都倒霉。"

话才说完，一车人都附和。

请问，这车上的"公理"到哪里去了？

但是细想想，公理、公理，那车上的乘客不是"公众"吗？他们说的不是"公理"吗？

法律是人定的，人既然会变，法就不可能永远不变。

当大家都认为太阳绕着地球转的时候，伽利略论证"日心说"，讲地球绕着太阳转，他说出的是"真理"，却被关进监牢。

所以公理不见得是真理。

公理常常只是人们自认为对的道理，尤其是对他们有利的道理。

现在我们触及更深的人性，也就是——

他爱的，不见得是他最欣赏的；他选的，不见得是他认为最对的。

想想，一对夫妻养了个顽劣儿子，他们气不气、恨不恨？但是当那儿子犯了案，做父母的会不包庇自己的孩子？

否则为什么法律规定父母不能为子女做证？

再举个例子，你的爱人犯了法，逃到你那儿，你把他臭骂一顿，骂他糊涂，但是如果你爱他，你会不会藏匿他，甚至帮他逃亡？

请不要唱高调！

今天我们谈的是人性，人确实可能大义灭亲，但是这世上有几个人真能做到大义灭亲呢？把太保儿子送进少管所管训，把犯法的孩子送去自首关上两年还有可能，当外面警察荷枪实弹，当他犯了必死的罪，有谁会把自己的孩子推出去？

所以我说："你爱的，不见得是你欣赏的。"

同样道理，因为你的利益和立场，你选的也可能是你认为"不对的"。

想想！

为什么选举的时候，候选人会大开竞选支票？

为什么候选人明明知道征证所税是对的，却没人敢说他当选之后就要开征？

因为股票族太多了，他得罪不起，他不能失去他们的选票。

问题是，即使是股票族，他们难道不知道买股票赚了钱应该缴所得税吗？

他们当然多半知道，知道这才是"赋税公平"，问题是，如果你是股友，你会选那主张抽证所税的人，改天就缴一大笔税吗？

谈到选举，族群认同也有很大的影响。

尤其是少数族群。

当你爱一个人，对他付出，你只要去做，最好别一直提醒对方你付出是为他，要他领你这个情。因为那个情太沉重，他会受不了。

为什么美国橄榄球名将辛普森杀妻案，辛普森败了民事诉讼，却赢了刑事诉讼？

道理很简单，抓他的警察过去有歧视黑人的记录，而辛普森有黑人血统，陪审团里有黑人。

为了保护族群的利益，尤其为了显示少数族群的力量，人们往往以立场选择，而且不惜选他认为不对的那一方。

谈到少数民族，再让我们看看美国。

在这个自以为最民主、连钞票上都印着“IN GOD WE TRUST”（吾信吾言）的国家，白人对黑人歧视不歧视？

如果一个白人社区搬进了黑人，他们会怎样反应？

如果白人社区出租房子，来了黑人要租房子，他们会怎么说？

但是当你问白人：“人是不是生而平等？”“我们是不是都是天父的子女？”

他们是不是想都不用想就说：“当然！”

你不能没有的谅解 ▶▶

许多事，人都知道“当然”，只是临到自己头上就不再当然。否则美国的印第安人不会过得那么苦。

他是少数，他当然比较没有发言权，他当然得“少数服从多数”。

什么叫多数？什么叫少数？

今天在荒岛上，只有三个人，两票对一票，就是多数对少数。

在中世纪的欧洲，一群村民指着一个女人说她是女巫，就是多数对少数，那女人理当被绑在柱子上烧死。

古人说得好——

“千夫所指，无疾而死。”

当所有的人都说你该死的时候，就代表着“公理”说你该死。当你处在只有千人的团体里，千人都说你错，你明明是对的，在那个团体里，在那一刻，你也成了错的。

这正是我希望你不能没有的谅解。

人都是自私、利己的，当你损害到他的利益时，明明你对，他也可能说你错。他虽然可能不得不说你对，却联合着他的利益关系人一起排挤你。

你是一个新进的警察，刚到一个单位，月底同事交给你一笔钱，你问：“这是什么钱？”

火可以烧死人，但它红得很美。冰雪可以冻死人，但它白得真美。战争很残酷，但能写成人类的史诗。古迹已经颓圮，但能发思古之幽情。

“钱！”他说，“拿着就好了，不必多问。”

如果你非问不可，问个水落石出，还把钱交了上去，上面给你记个功。

下一步，你又如何？

如果你是个新进的记者，去采访影剧院新闻，临走人家塞给你一个红包，你把钱交给公司，一次、两次、三次，最后只怕你的领导要问：“别人跑这一线，都没红包拿，为什么独独你有？”

他的下一句话是：“我以前跑新闻，没交上去一文；以后别人跑这条线，是不是也都该有上交的红包？”

如果你这么正直，你还能不能混？

是的！人性太可悲了。

“好高人愈妒，过洁世同嫌。”古往今来多少高洁的人就这么不明不白地“没落了”（死了）！

问题是，我们难道就因此不能伸张正义，而只能随波逐流、同流合污吗？

不！我建议你在那种“以少敌众”的情况下，先把“刚直”变为“委曲”。

委曲是为求全，求全是为了伸张正义。如果你自己都保不住，如何能东山再起？又如何能反败为胜？

所以，如果船长不讲理，你在船上要听他的，上了岸再回头讲理；如果单位里黑，道不同不相为谋，你就应该求全，或默默爬上去，再由内部改造。

他爱的，不见得是他最欣赏的；他选的，不见得是他认为最对的。

树的腐化是慢慢发生的，人的腐化也是如此。而且几乎所有的腐化都有个堂皇的借口，所有的腐化都有个人情的外衣。

每个人都希望自己是鹤，每个人都不能强迫别人是鸡。

我们要懂得“不可不知的人性”，要有“不能没有的谅解”，更要有“绝不妥协的坚持”。

既然“公理”是“公众之理”，你就要争取群众，使群众站在你那边。

你不必以血肉之躯跟别人的汽车相撞，而应该先坐上火车，再去与他抗争。

写了这么多，我要告诉你的是：每个人都从他的本位、他的认知、他的家庭、他的族群、他的国家的角度看事情。

每个国家，无论她自认为多么民主自由，她还是用她的角度在看世界，她的政府代表她的人民，争取的是她的人民的利益。

所以无论你多么对，当你的利益与她国家的利益相冲突的时候，被牺牲的一定是你。你千万别以为他们只要换个总统，政策就会大转弯——这必是痴人说梦。

我也要告诉你：

在大船上，你可以跑步、跳舞，甚至在甲板游泳池里戏水。

在小船上，你甚至不能站起来。

作为一个人，你要认清你在什么船上，你周围是怎样的乘客，你拥有多少同舟共济的朋友，以及你离岸边有多远。

最后，再说一次：

当自己遇上的对手，可能长久与你纠缠，拖垮你的元气，拖累你的时间，而且所争的又是个“公说公有理，婆说婆有理”的事情时，你一定得认赔杀出。

他爱的，不见得是他欣赏的；他选的，不见得是他认为最对的。

公理不见得是真理，公理也不见得是正义。

多的划算，大的吃香！

这就是人的世界。

Chapter 8

是谁恶作剧

多么可悲又可爱的人性!

化解“越不爱，越不爱”，最好的方法就是“越爱，越爱”。

付出、付出、再付出，居然把一个原来最厌恶的对象转变为最亲密的伴侣。

才出电梯就闻到一股臭味，而且越走近家门越臭。突然看到一团大便和旁边的一条小黄狗，芳芳尖叫了起来：

“谁的狗？”

“是啊！谁的狗？”对门李太太把门打开，捂着鼻子喊，“不是你的狗，是谁的狗？臭死了！”

“不不不不！不是我的狗，我没有狗。”芳芳直摇手。

“那一定是人家送你的，不然怎么会绑在你的门上。拜托拜托，快清一清吧！大家都被臭死了。”

说完，李太太就把门用力地关上。

“喂！喂！”芳芳伸着两只手怔住了，突然又大声尖叫起来，因为小狗居然过来舔她的腿。

芳芳把皮包一甩，解开门把手上的绳子，把小狗往电梯拉，那狗居然不走，四只脚撑着不动，被芳芳拖得在地上滑。

“你虐待小动物！”正巧焦先生下班回来。

“这不是我的小动物。”芳芳喊。

“不是你的，也不能这么虐待啊！”

“你同情，你带走好了！”

砰！焦先生把门关上了。接着门又开了，跑出大毛和二毛，说要看小狗。

“脏死了！回来！”两个孩子又被焦先生吼了进去。

“哎呀！哎呀！”李太太接着出来了，一边贴着墙走，一边叫，“不要拖它了！拖了一地屎，臭死了！”

芳芳才发现小狗经过那团大便时，弄了一身，又拖出一长条。再拖，那大便一定拖得更长，而且一定搞得满电梯都是。芳芳想去把小狗抓起来，又怕弄一身的狗屎。

还是焦太太心肠好，居然一声不吭地从屋里提了一桶水出来，又在手上各套一个塑料袋，拿纸把小狗脚上的屎擦掉，再沿着一路的痕迹擦地上的狗屎。

“我来！我来！”芳芳追过去，发现纸不够，赶紧掏钥匙开门进去拿，好不容易弄干净了，“唉！小狗呢？”

小狗不见了，大概自己跑下楼了。

芳芳向焦太太道了谢，又抱怨一番，进门，坐在沙发上喘气。

突然看见一条绳子，从茶几后面伸出来。天哪！茶几上可是芳芳的传家宝——康熙青花瓷器。

芳芳不敢动，拨电话向同事小赵求救。

这个世界不会以一时的成功论英雄，也不会以偶然的失误判输赢。人若没有长久持续的表现，往往很难被肯定；而被肯定的人，也难在一时被推翻。

“不能动！不能动！”小赵在那头喊，“我马上到。”

小赵果然接着赶到，还带了狗链子和狗项圈。“你可真周到。”芳芳苦笑着说。

“养狗嘛，总不能用绳子，像什么话！”

“我才不养狗呢！”

“喂！”小赵鼓起眼睛，举着手，“你可千万不能不养哟！这事我懂，狗来富！它没进门，没关系，既然进了你的门，你再往外推，可就嫁不掉了。”

芳芳素来迷信，一听会嫁不掉，急了：“怎么办？”

“怎么办？”小赵笑笑，“养啊！狗连名字都有了——来富。”

在小赵的指导下，芳芳带来富去宠物店洗了澡，又打了针，拿回一个小本子，登记了下一次打针的时间。

“等大一点，还要过来在脖子上植入晶片。”宠物店的老板说，接着抱了两包美国进口的狗食出来，又开了一剂眼药，“每天早晚给它点，眼睛有发炎的现象，不小心的话还会传染给你。”

芳芳没被传染，倒是从来富进门就感冒了，浑身酸痛，喷嚏连连。

看医生没用。又去看了两次，医生叫她转过敏科，才知道是对狗过敏。

从此每星期芳芳都得去医院，挨一针“抗敏原”。

来富吃美国狗食，长得快，大概长牙了，发痒，把芳芳的皮沙发咬破了。

芳芳去宠物店买了个假骨头给来富啃。

来富在屋子里乱尿。

芳芳接受兽医建议，买了专防狗尿尿的喷剂，在屋子的每个角落喷。

来富常憋不住，没等芳芳下班，就在客厅里大便。

芳芳只好一下班就跑回家，牵着来富去散步、方便。

来富顽皮，常冲来冲去，有一天把沙发前面的地毯冲起一个角，芳芳没看见。

第二天大家都看见芳芳头上包着纱布。

来富大了，有一天夹着尾巴发出奇怪的声音。芳芳发现地毯上有血迹，吓一跳，赶紧送它去兽医院。

“它发情了。”医生说，“要不要阉？”

阉母狗比公狗贵得多，芳芳足足花了八千块钱。

八千块还不够，来富的伤口老不封口，还流脓水，又去兽医院，医生说是来富舔的。医生重新拆线、清洗、缝好，又为来富套了个大大的头罩。芳芳又花了五千。

这还不要紧，来富套了头罩，固然没办法回头舔伤口，却也看不清路。而且伤口一定又痒又痛，夜里呜呜叫，害得芳芳连着好几天睡不好觉。

这天半夜，先听见来富哭，接着是来富叫，再接着“啪”的一声，芳芳从睡梦中惊醒，往客厅冲——

完了！康熙青花瓷器碎了一地。

芳芳狠狠地给了来富几巴掌，坐在地上“哇”地哭了起来。一边哭一边指着来富喊：“我不要你了！你这小浑蛋！”

就这么妙，第二天周末，一早有人按门铃。

打开门，是两个小女生。

“你是不是有一只黄狗？”一个小女生问。

“是啊！”

“那是她的。”另一个小女生指着问话的女生说，“是我送她的。”

“她送错地方了，我家是一一三号，她送到一三一号，也就是你这儿了。”

“我拴在了你的门上。”

“你们为什么不早来问？”芳芳板着脸问。

“我因为转学，搬得很远，所以把狗送她。她说没收到，我今天特意跑来，才弄清楚，是送到你家了。”

芳芳一笑：“是只浑蛋狗，它昨天夜里打破我的古董花瓶，最少

失败到绝望的时候，就自暴自弃，这是人的天性。不论做生意、带部属、交朋友，希望能有君子之交，就要时时注意怎么维护对方的自尊……

值八十万，你们赔得起吗？”

“赔不起！”两个小女生面面相觑地说。

“赔不起，就是我的狗了！”芳芳“砰”的一声把门关上。

你不可不知的人性 ▶

芳芳不是讨厌那只狗，死拖活拖地想把它扔出去吗？

虽然因为迷信，怕坏了自己的姻缘，而勉强把来富留下，但是她对狗过敏，每个星期都得打针。这狗又那么麻烦，花掉她不少钱，害她摔得差点破相，甚至把她的传家之宝打碎。

当那两个小女生上门的时候，芳芳应该高兴地物归原主啊！为什么她反而对两个孩子凶，硬把来富留下呢？

道理很简单！

因为她已经付出了那么多，因为她已经爱上了来富。

这就是我们今天要讨论的人性——

越爱越爱，越不爱越不爱。

谈到爱，我们不得不佩服造字的老祖先。

“爱”（愛）这个字，是在“受”字中间加个“心”。

“受”的象形字是上面一只手，下面一只手，中间一个盘子。

盘子里放上“心”，就是“爱”。

也可以说，“爱”是“你接受我的一颗心”。

你或许要问，受是接受，你接受了一颗心，必须还回去一颗心，才是爱，为什么没看到“归还一颗心”呢？

这么说，你就是不懂爱了。

施比受更有福，爱是施的，它绝大部分表现在付出。

你会因为付出爱，而越去爱，却不见得因为“越得到爱，而越去爱”。

不信你看，那一两岁的孩子，走还走不稳呢，就已经会爱宠物了。

他们会抱着小猫小狗亲；再大一点，他们会喂宠物吃东西；又大一些，他们甚至会牵小狗出去散步，为小猫换屎盆里的猫砂。

当有一天，他们的宠物死了，他们一定伤心得不得了。

一个七八岁的孩子，父母死了都不一定哭，宠物死了却可能伤痛欲绝。

为什么？

因为他们对宠物付出了爱，他们花了时间、力气去照顾那些宠物，却不曾花时间照顾爸爸妈妈。

爱就是这么不公平。

他不付出，他就不爱。

父母照顾孩子，付出得多，所以父母爱子女远比子女爱父母来得深。

不但对人、对宠物如此，对植物、东西也一样。

你在园子里种大蒜，顺便给孩子一瓣，由他自己找个地方去种。

蒜发芽了，你会发现孩子每天都去照顾他自己的那一棵，却不来看你的；他来看，也只是来“比”，比比谁种得好。

有一天，你要摘蒜苗吃，你摘你种的，他没意见；但是你要摘他的，可就麻烦了。

为什么？

因为他花了心血，因为他爱他种的那棵。

你的孩子喜欢在墙上涂鸦，而且把脏手印印得到处都是。

你怎么骂，他都不听。

但是有一天，你要他拿着刷子，去漆他自己的房间之后，他却可能宝贝得不得了，甚至警告到他房间玩的小朋友：

“别弄脏我漆的墙！”

为什么？

也因为他花了心血，因为他爱他漆的墙。

这椅子，两百磅的大胖子坐上去，也不会垮，为什么打架的时候，那么不经用呢？我想出的答案是：它们都是为理性的人做的。理性时再结实的东西，碰到不理性的动作，都变得脆弱无比。

你不能没有的谅解 ▶

爱是非常褊狭，而且难以捉摸的。

他养鸟，你养蟋蟀，他的鸟吃了你的蟋蟀，他没感觉，搞不好还说句风凉话："你养的虫本来就该让我的鸟吃。"

但是反过来。

他养蟋蟀，你养鸟，你的鸟吃了他的蟋蟀，就变成残杀。

他就跟你吵。

爱也常常只因为"多那么一点点"。

一个从来不集邮的孩子，你给他一张漂亮的邮票，他不见得感兴趣。

但是，当你给他一大包邮票之后，他会要你再买个集邮簿。

从此，你的信，还没拆，可能已经缺了角——

邮票早被他剪去了。

收藏家不都是如此吗?

有人专收火柴盒，有人专收镇纸，有人专收名人签名，有人专收茶壶，甚至有人专收牙齿，管它是人牙、狗牙、虎牙、象牙、鲨鱼牙，他见牙就收。

你问他是怎么开始的。

他可能说：

“哎呀！也是巧合，有个朋友从非洲来，送我几颗野兽的牙，我觉得蛮有意思，以后见牙就收。朋友知道我爱牙，有了特殊动物的牙齿，也送给我，越收越多，后来为了一颗自己没有的牙，甚至不惜花大价钱买，十几年下来……”

这不也是“越爱越爱”吗？

他原来只比别人多那么一点点。因为那一点点，使他更关心；又因为更关心，而有更多；又由于有更多，而更贪、更爱。

了解了这一点，你要一个人爱另一个人、爱一只宠物或爱一样东西，都不难。

只要你制造机会，使他付出。

他不爱与人交往，你偏交给他一个学弟或学妹，要他带。

他起先很不自在，甚至很不愿意，但是渐渐地，他越带，越爱带了。

同样的，一个学生，上某一门课，刚开始的时候，表现得比别人好一点点，被老师赞美几句，他可能从此就都努力表现；改天，他升级，换了老师，那老师没发现他特殊的才华，没给他特别的关爱，他就又可能“摔下来”。

这则是因为“越不爱，越不爱”。

人会因为亲近而更亲近，也会因为疏远而更疏远。

原来的好朋友，好久不见，虽然住在同一个城市，不知为什么，他没联络你，你也没联络他。

久了，你猜他变了，他也猜你变了；你怨他不找你，他也怨你不找他。

但是当有一天，偶然相遇，却可能发现彼此都没变，一下子又成为好朋友。

亲戚更是如此。

久久不来往，就忘了旧情，多了猜忌，或是想“他发了，犯不着去高攀”，或是想“不在同一层面，也不必多来往”。于是偶尔接到他的电话，便冷冷淡淡地回过去，他也冷冷淡淡地回过来。

当有一天，老人死了，晚辈结婚了，大家不得不聚在一起哀悼、观礼，一起聊聊天，敬敬酒，谈谈近况，感叹一下人生，突然觉得彼此有那么多相似的地方，大家有那么多共同的回忆。

于是电话勤了，见面多了，疏远已久的亲人又相互走动了。

多么可悲又可爱的人性！

化解“越不爱，越不爱”，最好的方法就是“越爱，越爱”，好比芳芳和她的宠物。

付出、付出、再付出，居然把一个原来最厌恶的对象转变为最亲密的伴侣。

而今彼此付出了多少？

让我们掩卷深思！

Chapter 9

会抽烟的长颈鹿

许多年轻时的抱负、人生的理想，都可能因为“明日复明日，明日何其多”而失去了冲力。

许多子女的爱，都因为心想以后再报答也不晚，于是拖了再拖，拖到有一天父母永远离开了，才呼天抢地、顿足捶胸地悔恨。

“你对我下毒，我跟你拼命！”

“保卫乡里，绝不让步！”

“誓死抗争！永不低头！”

五百多位和平村的居民聚在工地前面的道路上，做不和平的示威。

沙石车过来了，人群立刻迎过去，由周村长带头，还拉着两个八九十岁的老奶奶，用胸口抵住沙石车的车头。

挖土机过来了，看情况不妙，一转头，开下道路，绕到工地后面。立刻有村民追过去，更有个不怕死的年轻人冲到前面，往地上一躺，嘶喊：“你轧啊！先轧死我！”

警察赶来了，想办法疏通村民：

“这是合法申请，经环保部门审核通过的。”

“我们绝对不会制造噪声，更不会污染环境。我们的工厂绝对是经过国际认证的……”工厂代表也出来喊话，“而且我们要回馈和平村，我们要……”

一团粪便“啪”的一声，正打在代表的脸上。

民众越聚越多了，五百多人变成一千多人，由周村长带头喊抗争口号，大家声音越来越大，情绪也越来越激动。有人甚至提了一桶猪血来，先泼在沙石车上，又爬上车，弄得满脸满身全是鲜血，站在引擎盖上，举着双手呐喊：“我们誓死抗争！”

人群一下子安静了，多半的人都被这血腥的画面吓到。接着，鲜血勾起人们原始的反应，每个人的眼睛都红了，怒吼排山倒海般涌来，沙石车的司机吓得车都不顾了，跳下车往回跑。

警察也怕了，迅速地撤离，“狗腿民代”和工厂代表更是急着跳上车，一溜烟，不见了。

怒吼一下子变成欢呼：

“我们胜利了！”

村民并没被胜利冲昏头，他们拟定了长期抗争的战略：先用车子把道路挡死，再搭了一个大棚子，轮班看守。

他们知道那工厂一定不会死心。

果然第二天，又开来两辆车。

只是车还没到，就被守候的村民发现；一声呐喊，村子里跑出近百人，那两辆车就吓跑了。

又过两天，工厂找了“狗腿民代”过来说情。周村长拒见，四周

我发觉，其实中国的儒家思想，早就重视了“合理化”，只是后来许多人故意表现“私情”，故作有人情味的样子，或表示自己的宽宏大量，而造成“情理不分”。

一堆大汉叉着腰，把“狗腿民代”也吓跑了。

接下来，居然没了动静。连那辆沙石车也被偷偷开走了。

他们真退了。

当然！看我们这么凶，不退行吗？

于是大家又恢复了原来平静的生活。

早上，孩子们又可以在田间的马路上骑着脚踏车去学校了。

大家不必怕沙石车呼啸而来。

虽然夜里偶尔会听见车的声音，但毕竟那些车开得慢，而且路上没人，没人会在意。

那工地里安安静静的，四周早架好的铁皮围墙里，只传来零星的一些声音。

有村民过去看，回来笑笑说：“他们改建公园了。”

果然，没多久，围墙一角打开，里面是个漂亮的游乐场。

最新式的儿童游乐器械准备就绪，花圃里繁花盛开，池塘里锦鳞悠游。

孩子们高兴极了，每天一放学，全往那儿跑。大人们也常聚在池边聊天。

游乐场围墙的后面还在施工，有人猜是要建溜冰场，也有人说要开发为度假村。

不久，就见一个长颈鹿的脖子高高地伸了出来。

那长颈鹿画得真美，一块块橘红色的斑纹，在蓝天白云的映衬下，鲜艳极了！

只是又过了一阵，长颈鹿的头上开始冒烟，虽然烟不大，但是很臭，蓝天一下子不见了。

周村长过去抗议，回来说工厂会改善，而且真的要再盖一个溜冰场给和平村。

溜冰场不久就建成了，为了防紫外线，居然还有顶棚，高大的屋顶与后面几栋厂房构成一个整齐的图案。

别说和平村了，连附近其他村的孩子也常跑来玩。

只是外地来的孩子毕竟不如和平村的，他们不适应，玩过回去之后，常有头晕、喉咙痛的问题。

当然也有外地人问：“你们不觉得臭吗？”

“没觉得呀！”“大概习惯了吧！”村民们都这样回答。

你不可不知的人性 ▶▶

不是“誓死抗争，永不低头”“保卫乡里，绝不让步”吗？

不是上千位村民举标语、喊口号、拦路阻挡，甚至要“以身相殉”吗？

为什么一切都好像还是昨天的事，突然态度全变了呢？为什么原本好像不共戴天，一下子又勾肩搭背了呢？

答案很简单——

因为工厂的人知道人性，他们不再正面冲突，改用迂回战术，他们暗度陈仓，在夜里偷偷地运货；又使用怀柔的手段，先为村民盖个游乐场。

他们在“苦药”的外面包了“糖衣”，在烟囱上画了长颈鹿。

这叫作“浸润”，也叫作“蚕食”。慢慢地浸润总比大水淹没来得柔和；一点点地“蚕食”也当然比“鲸吞”来得安静。

当你到公园去的时候，是否常发现大部分的树都整整齐齐，一排一排，偏偏在一个不恰当的位置，突兀地长着一棵树。

你要是问公园管理员，他可能回答：“那是自己长出来的！”

你问他：为什么任它长，不早早拔掉?

他可能答：“拔了！年年拔！”

对！他没说谎。

春天到来的时候，好多小树苗的种子会萌发，这边一棵，那边一棵。

公园的管理人员当然会在除杂草的时候，把那些小树苗也拔掉。

但是可能有一次漏拔了一棵，隔一阵，长高些，又拔，却只拔掉了枝叶，没拔出根；再隔一阵，还去拔，拔不动，只好把小树干

> 债多而不愁的人，不是有能力还债，而是“一翻两瞪眼”——要钱没有，要命一条。他由拉下脸来借钱，到拉下门来躲债，最后则是拉下自尊赖皮。

折断。

偏偏那树很顽强，从折断的地方又发出枝子，而且愈长愈粗。

渐渐地，你会发现园丁对那小树已经视而不见。小树成了气候，园丁总见它在那儿，也看顺了。

于是，小树长成大树，它成为园子里“当然的一员”。

每个人都有“视而不见”“听而不闻”的本事。

你新买一座“咕咕钟”，每个钟头里面都钻出一只咕咕鸟，几点钟就咕咕几声。下面还带两个铅锤，拉动一个钟摆，嘀嗒嘀嗒地响。

你是不是夜里常被吵醒，醒了之后，听那嘀嗒嘀嗒的声音，半天睡不着？

但是这情况会维持很久吗？

当然不！过一阵，你就不觉得了，你甚至根本不会感觉到钟摆的嘀嗒声。

你是“听而不闻”哪！

你住的公寓门前突然放了许多砖瓦，然后有工人一批批往楼上运。

原来顶楼要加建。

你急了，冲上去抗议。

房主很客气，为你解说，他用的是轻建材，依照的是政府的规定，他会把砖退掉。

果然，他没用砖，只用铁皮盖了个小房子。

你常站在楼下往上看，怎么看，怎么不顺眼。

可是，渐渐地，你不往上看了。

谁闲着没事，总仰着头看屋顶呢？

改天，你偶然再抬头，发现那铁皮小房子已经换成砖头，砖头外面贴着与整栋公寓一样的瓷砖。

还不难看！甚至比以前铁皮的还漂亮呢！

好像五层楼的公寓多了一层。

你还去抗争吗？

你已经适应了，接受了。你是“视而不见”哪！

这“视而不见”“听而不闻”的道理，与前面虎妞的故事是相关的。

虎妞突然不上班，大家会不适应。

违章建筑突然出现，邻居也会不适应。

前者是“突然没了”，后者是“突然有了”。人都有习惯，习惯于既有的事实，习惯于“顺眼”的东西。

只是几乎这世上所有不顺眼的事，看久了都能变得顺眼。

所以，“儿不嫌母丑”。

所以，许多人身体产生了病变，外人全看出来了，他的家人却看不出，不知道早早催他去检查。

所以，你好一阵子不看电视，某一天打开，发现某位记者“怎么老了这么多”。

但是以后天天看，你又觉得他没变。

所以，你的老朋友跟他的“贤妻”离婚，换了个年轻的太太，你义愤填膺，发誓不跟那“没良心的人”来往。

但是，久了，偶尔见面，渐渐走动，你又越看他的另一半越觉得不错。

你开始跟她勤走动，甚至向她请教“抓住男人”和“女人保养”的方法。

就是因为了解了这个人性。

许多人对于冲突，都采取“拖”的战略，他知道时间拉长了，对手疲了，气消了，冲突就容易解决。

你细想想，很多法律上的大案子，不都是用“拖”解决的吗？

当那案子刚发生的时候，媒体天天炒作，民众人人气愤，大家都盯着看，看他怎么判。

他就拖着，不判。

媒体问，民众问，他都说还在搜集证据。

渐渐地，大家还问吗？

于是他判了，而且是轻轻判。

问题是，如果大家都懂这一点，逼着上面早早判，怎么办？

这世界上是无所谓“一部分秘密”的。人们似乎有个天性，只要知道一部分秘密，就想要挖出全部。所以，当你泄漏自己或别人的一部分秘密时，也等于泄漏了全部。

他还有办法，就是一审加重判。

于是你（民众）高兴了，觉得正义获得伸张，却没想到下面还有二审、三审呢！

一审判决，报上是头版头条，占了半版，大快人心。

二审判决，报上是二版头条，占了四分之一。

三审判决，已是三年之后，大家都忘了，于是报上不过五行字，交代了过去。

就算三审判得很轻、很不合理，你还“有劲”“有兴趣”再去抗争吗？

这就叫作——

“一审照法办，二审判一半，三审更发审，四审全不算！”

你不能没有的谅解 ▶▶

看到这儿，请不要叹息人真笨。

你要知道，能把不顺眼的东西看顺眼，能把无法接受的事实加以接受，能把咬牙切齿之恨化解，全因为这人性。

人不堪拖。

人都会遗忘。

岁月最能疗伤。

在多苦难又多仇恨的人世，正因为有这可爱的人性，我们才能活下来。

否则誓死不让女婿进门的老岳父，怎么可能有一天自己登门，带瓶酒，说“我来看看我的孙子”，然后跟他痛恨的“那个小伙子”喝一杯。

否则那闹了绯闻的公众人物，怎么重新站起来，重新走上社会的舞台，重新被大家肯定。

否则那些核电厂、焚化炉、变电所、化工厂，怎么能终于与四邻和平相处？

当然，我们也要时时提醒自己这人性的优点与弱点。

你要知道当你办个展览，展半个月，绝不会比你只展三天的观众多五倍。它甚至不但不多，还可能少些。

因为大家一看报，知道有半个月，心想“不急嘛”，于是一拖再拖，等到知道结束，已经来不及了。

反不如你好好发个消息：

“只展三天，绝不延期。”

他今天早上见报，下午就到了，而且会催他的朋友去：

“早点去，第三天一定特别挤。”

你也要因此知道去图书馆借书，有个想不到的好处——

你自己买的书，放在架上，什么时候看都成，反正书是你的。那图书馆借来的，却得限期归还，过一天都挨罚，所以你总是先看。

一个太长的展览、一本无限期的书，都会使你看着看着，一拖再拖，拖得视而不见、束之高阁。

许多年轻时的抱负、人生的理想，都可能因为“明日复明日，明日何其多”而失去了冲力。

许多子女的爱，都因为心想以后再报答也不晚，于是拖了再拖，拖到有一天父母永远离开了，才呼天抢地、顿足捶胸地悔恨。

“生米煮成熟饭”这句话，你可以说成“反正生米已经煮成了熟饭”，而无奈地接受。

也可以讲“小心生米煮成了熟饭”，而常常自我警惕。

“子欲养而亲不待”这句话，你可以说成“不是我不养，而是父母不等我”。

也可以讲“子不养而亲正待”。

你的父母正在等你啊！

Chapter 10

姚家的赏花盛会

如果你是鸡，你不会飞，飞也飞不远。如果你是鹤，你当然会飞，而且一飞就是千万里。

每个人都希望自己是鹤，每个人都不能强迫别人是鸡。

“要开了！大家今天晚上来呀！”姚太太一家一家打电话。

晚上八点半，就见李太太、韩太太、方小姐和林医生夫妇往姚家跑。

姚家更是专门做了布置，二十四寸的青花瓷盆，原来放在阳台上，现在则搬进了客厅。盆里那棵十几岁的大昙花真是老当益壮，枝叶繁茂，有许多枝条伸出去一丈多。

姚家夫妇也真够费心的，每个长枝都用小竹竿撑着，还绑着红线。就在那郁郁葱葱的叶子上，挂着几十个红里带白的花苞。

“今年足有三十七个苞，今儿晚上开二十八朵。”姚太太一边请大家就座，一边介绍当天晚上的主角。

主角真是太美了。九点整，每个花苞都开始有了动静。起先开个小口，好像娃娃打哈欠；接着就像时钟一样，只要你盯着看，就能见到花瓣的移动。

还有那股幽香，由远远的、一丝一丝的感觉，到越来越浓郁，又浓而不艳，香里有香，是一股“令人醉而不令人昏”的幽香。

“真是太美了！年年看，年年醉。”李太太感叹地说。

“是啊！我们都羡慕死了，每天从你楼下过，看见这棵大昙花，简直成精了。你们怎么办到的嘛？”韩太太也摇着头感叹。

“你们一定有什么秘诀。”方小姐拍了姚太太一下，“快！传授几招啦！我跟你拜师好不好？”

“对！对！对！”大家都起哄，“磕头！磕头！”一屋子人笑成一团。

“这哪儿有什么秘诀，就是多花心血照顾，只要你们肯花时间，都能种得好。”姚太太笑道，“当然，我们这盆可能品种特别好。不过……”她看看姚先生，“如果我老公同意，等会儿我可以每人送你们一个枝子，回去一插就活了。”

姚先生点头：“这有什么问题？我这就进去拿剪刀。”

十二点，大伙儿在满室馨香中告辞时，每人手上果然都拿着几根昙花枝子。

方小姐还特意回去向那大昙花拜了拜：

“谢谢祖奶奶，改天我们‘分香’成功，一定回来拜祖奶奶。”

一时间，每个人都过去拜了拜，闹成一团。

这“分香”居然真成功了。

演戏的人，上台之前常需浓妆艳抹。而演完的第一件事，就是卸妆，恢复本来的面目，避免油彩伤害皮肤。如果五花八门的社会是我们人生的舞台，每天回家的第一件事也就是卸下我们虚伪的装扮。

姚太太也就更成了大家的“请教中心”——

“我的已经发芽了，要不要加肥料？”

“我的生枝了，要不要换盆？”

“奇怪，我的叶子上有小斑点，姚太太，您快来看看吧！”

一年之后，那赏花会就更热闹了，每家都把自己“分香”的成果带来，一年之间，居然颇为可观。尤其是方小姐的，叶子长得又肥又厚，比“祖奶奶”的叶子都漂亮了。

“可就是不开花。”方小姐噘着嘴说，还抱着盆，放在大昙花树下，拜了拜。

“别急啊！总要有个三年才会开的。”姚太太笑着过去摸摸方小姐的那盆，“挺好！挺好！”

又是一年过去了，大家也还在姚家赏花。

今年没人带“自己的花”来。李太太、韩太太没带，因为花早死了。

林医生夫妇也没带，说是太瘦弱，不好意思带来。

方小姐则神秘地笑笑：“太大了，不好搬。”

“天哪！才两年，就太大了。”姚太太笑。

“是啊！还出了个花苞，也是今儿晚上开呢！”

大家全瞪大了眼睛：“不是说最少三年才会开吗？”

姚太太则鼓掌：“棒！小方真棒，两年就开花，真是奇迹！”

当天晚上冷清些，因为方小姐待了一下就跑了，说是回去欣赏自己那“一朵花”去了；韩太太不信，也跟了过去。

昙花真是妙，大概跟气温有关，气温突然下降，就会催生花蕾，所以不一样的人家总是同时开花。

因此，再下一年的赏花会，就更没人了。

林医生夫妇的昙花刚好三岁，果然开了两朵花，当然留在自家赏花。

方小姐更不用说了，她的花长得奇快，居然一晚上开了十八朵。

“大家来我家吧！”方小姐一家家打电话，“我的分店可不比本店差，我用进口的Cactus Juice（仙人掌汁）营养液，花特别大，特别香，而且有一朵并蒂花呢！”

“真的啊！”林太太在电话里说，“我还正想去请教姚太太开花之后该怎么保养。”

“来向我请教吧！”方小姐笑着说，“姚太太那种放蛋壳的方法，脏死、臭死了，还招虫子，她早落伍啦！”

你不可不知的人性 ▶

姚家不是太冤了吗？

每年昙花盛开的时候，他们把那么重的花盆抬进客厅，再四处打电话，邀朋友来欣赏，少不得还准备许多茶水点心招待。

他们甚至能不“专美”，居然把自己宝贵的品种让赏花的朋友分享。

姚家能想到那些朋友，后来竟然成了竞争的对手，甚至成为敌人吗?

听听！方小姐说的什么话?她不是太忘本、太忘恩负义了吗?

这世上似乎充满那种忘恩负义的人——

一个穷小子，跟着师傅学手艺，吃师傅的、住师傅的，改天本事学成了、翅膀硬了，飞了！自己出去开店，跟师傅争地盘了。

你帮助一个朋友，让他在你手下做生意，对他特别照顾，教他各种技巧，介绍给同行认识。

有一天，他莫名其妙地跟你斗气，绝裾而去，自己开了店，开幕邀请函的名单居然是从你电脑里偷的。

你是大哥，带着弟弟妹妹搞工厂，弟弟管一个部门，妹妹管一个部门。家族企业应该是最保险的了，居然有一天弟弟出去闯天下，妹妹嫁了同行的朋友。

他们都说会跟你合作，绝不抢你的生意。可是有一天，你的客户

聪明的人不会在相邻的两只手指上同时戴钻戒，为的是避免彼此摩擦受损，而减少了钻石的光泽。睿智的领导者不会在同一个单位安排两个具有同样能力又独断的部属。

跑了，说人家的东西便宜得多，你追根究底，才发现是弟弟妹妹“倒了行市”。

你是老子，披荆斩棘有了一番事业，又辛苦培育自己的儿子出国留学，回国进公司由基层干起，只等过几年就可以接班。

偏偏他有他的理念，有他的脾气，总跟你唱反调。

有一天，你气急了，把他踢出“权力圈”。

没过多久才发现，他已经自己起了炉灶，那惊人的本钱居然是你在商场的老朋友们投资的。

长江后浪推前浪，各领风骚三百年；老者朽矣，后生可畏。

上一代造就下一代，下一代超越上一代，这是天经地义的事。

孔子说的“见贤思齐”是什么意思？

是看到比自己贤良、比自己能干的人，就要想着向他看齐。

问题是，有一天真看齐了，下一步又是什么？

当然是超越！

下一代超越上一代，是“超迈前贤”。

学生超越老师，是“青出于蓝”。

古人不是早说了吗？

有状元学生，没有状元老师。

老师年年看学生来、学生去，一批又一批自己培育的英才毕了业、升了学、出了国、得了奖、载誉归来。

学生已经成为顶尖的人物，老师还在教几个小小蒙童。

哪个老师能没有这个感慨？只是，没有平凡的老师，怎么有杰出的学生？

如果你是老师，你是不是也一方面感慨自己的粉笔生涯，一方面又兴奋于学生的成就？

你能因为怕学生超过你，而留一手不教吗？

你不能没有的谅解 ▶▶

人类能不断进步，就因为这种爱比、好战、追求超越的个性。

那是与生俱来的——

一个婴儿，他总在超越自己：他上个月才会翻，这个月就想坐，下个月便要爬，再过几个月，则要站起来。

他站起来了，站不稳，跌倒，而且跌痛了、跌哭了，他难道就因此不站了吗？

他还要站。不但站，更要走；不但走，还要跑。

他在追求“今天比昨天好，明天比今天好”。他在向昨天的自己挑战啊！

然后，那孩子上了小学。他跟爸爸玩球，起初学着丢高，渐渐能投进篮圈了，慢慢能跟爸爸“斗牛”了。

他斗输了，居然生气，甚至跟老子没礼貌。

他不是在跟父母比，想超越父母吗？

又过些年，孩子进入中学。

他对父母更叛逆了，却对外人好，尤其崇拜明星，那些明星成为他的“偶像”。

什么叫偶像？

偶像就是“见贤思齐”的对象啊！

他梦想有一天能跟那偶像一样，在台上蹦、跳、唱，一呼百应，被千万年轻人拥护。

问题是，如果有一天，他的梦想成真了，他果然一步步爬上去，跟他的偶像同台了。请问你，他心里想的下一步是什么？

当然是打倒他的偶像，超越他的偶像，要比那偶像更成功。

这就是人性！

一个可怕又可爱的人性！

如果人人都不比，都不好斗，每个人都安于现状，不求突破，也不求超越前人，人类的社会能有今天这么进步吗？

你别以为中国人喜欢“临古”“师古”，什么都说古人好。

你可知道中国文人用什么形容能够创造、发明、自成一家的人吗？

他们会说这个人“与古人血战”。

血战，多么残酷的词啊！不但与古人战斗，而且要打得流血。

你没有推翻古人的魄力，怎么可能有惊天动地的成就？“尽信书，不如无书”，如果你不怀疑前人的道理，怎么可能有了不得的新发现?

了解了这一点，你就应该对那许多“翅膀硬了”“自立门户”的人有所谅解。

你要以“老师盼学生得状元”的心态去对待每个从你身边出去的人。

你也要想想，今天换作你，你翅膀硬了，会不会也要飞?

如果你是鸡，你不会飞，飞也飞不远。

如果你是鹤，你当然会飞，而且一飞就是千万里。

每个人都希望自己是鹤，每个人都不能强迫别人是鸡。

Chapter 11

小侯成功记

如果你已经人生过半，更该回头想想，那些你过去痛恨的人，是不是真值得恨？会不会因为你被人设计而误会了他？

如果你被设计、被排斥，后来却成功了，就别再去恨任何人了吧！因为那是人性啊！

因为贵人未必是好人，贵人常是欺负你、逼你成功的人哪！既然他是你的贵人，你又何必恨他呢？

“怎么样，血压稳定了吧？”庞总拉着曾经理的手，“好好养病，别为办公室操心。”

刚说完，庞总又笑了：“唉！说不要你操心，昨天才麻烦你，真是罪过。”

“麻烦我？”曾经理不太懂。

“是啊！昨天发给加州的那封信，不是小侯过来请你写的吗？不好意思，不好意思！这么点事，你生病，还打扰你。”

曾经理更不懂了，露出满脸疑惑的表情。

“对不起，是我不对。”站在门口的小侯过去，嗫嗫嚅嚅地说，“我昨天来医院，看见曾经理睡得正熟，不敢叫醒他，就自己动手写了。拿给庞总看，说没问题，我就没讲。”

“你写的？”庞总和曾经理一起瞪大眼睛，“你怎么会写？”

“我在中学就最喜欢英文，昨天参考公司里以前的商业书信，发现只要改动一点点就成了。”

“写得很好哇！”庞总叫了起来，“我还真以为是老曾写的呢！”回头看曾经理，“你看！看不出这小子能有这程度，真是长江后浪推前浪啊！”说完，两个人都大笑了起来。

小侯果然是长江后浪推前浪，曾经理养病的这段时间，庞总像是存心考考他，不但业务部的英文书信交给他，连庞总自己和美国朋友的应酬信也交给了小侯。

“小侯真不错，你怎么找到他的？”庞总这天又去医院探视曾经理。

“哎！我家装修，他是装修工人，打下手，点点货啦，运运材料啦！我发现他挺利落，正缺人，就把他找来了。”

“你可真有眼光。”庞总拍拍曾经理，“改天你病好，如果忙得过来，我要跟你借调这个年轻人，我很欣赏他！”

曾经理终于出院了，到公司的第一天就把小侯找进去：

“你这阵子表现得不错，庞总认为你是可造之才，就是学历差点，不够专业。”说着递给小侯一份资料，“这儿有个企管训练班，你可以去进修一下。”

“进修？”小侯接过资料，有点犹豫，“好像很贵吧！”

“不用操心钱，我给你出！”

聪明的演讲家，不伸手看表，免得听众也跟着看表；不流目场外，免得听众也随着左顾右盼；尽量避免咳嗽，免得听众也跟着清喉咙。因为这些动作都足以分散观众的注意力，减弱演讲的力量。

曾经理掏出支票。

庞总走进业务部，东张西望了半天，再推门进到曾经理的办公室：

“哎，小侯呢？”

“请长假。”

“请假？”

“是啊！他觉得专业知识不够，进修去了。”

“哎呀！只要肯努力，在我们这儿不是一样进修吗？还更实在呢！”

“他肯上进，我也不能拦着啊！”曾经理摊摊手说。

“说得也是！说得也是！”庞总直点头，“我看哪！这小子有能力，有魄力，而且细心，将来一定不简单。”抬头问，“他什么时候回来？”

“大概半年吧！”

“好！回来就叫他到我办公室报到。”

转眼，企管班就结业了，小侯在三百多位学员当中拿了第一名。

结业式，曾经理也去了，还与小侯照了相，许多同学都来跟曾经理打招呼：

“像您这样的经理，自己出钱叫员工进修，真是太伟大了。”小侯的同学说，“我们真羡慕死他了！”

结业式后，曾经理还特意请小侯到一家有名的西餐厅吃大餐庆祝。

“什么时候回来上班哪？”曾经理一边抹奶油，一边问。

"明天就报到！"小侯兴奋地说。

"好极了！不过你知道，你是我提拔的，如果庞总把你调走，去他办公室，我在业务部的面子就挂不住了。"曾经理叹口气，"而且我跟老庞这么多年，最了解他，也最了解这个公司。表面看他这个人嘻嘻哈哈，其实不用人才，用奴才，我希望你看在我栽培你的分上，坚持留在业务部。"

"那当然！"小侯放下手里的汤匙，坐直了回答，"我当然向您效忠。"

"我有困难！"小侯果然斩钉截铁地对庞总说。

"困难？老曾不放你上来？"庞总的脸拉长了，"你知道我是要提拔你吗？"

"……"小侯半天没说话，最后挤出一句，"曾经理没有不叫我上来，他很爱护我。"

"我难道不爱护你吗？"庞总大声问，"你知道我已经私下为你做了安排吗？"

从总经理室才出来，小侯就去向曾经理报告：

"我坚持不上去。"

"年轻人，够义气。"曾经理拍拍他，接着电话响，老庞叫曾经理上去。

又过一阵，曾经理铁青着脸回来了，把小侯找进去：

"为你的事，庞总很不高兴，把我和你都臭骂一顿。"他沉吟了一下，走到小侯身边，"我看，得罪了他，没好事。我老了，只好留下来过一天是一天，你有才能，又年轻……”

小侯居然辞职不干了。

为此庞总经理很不高兴了一阵子，每次碰到曾经理，都问：“你跟小侯说了吗？我安排他做特别助理，加薪一倍，而且过两年就……”

“我当然说了。”曾经理也陪着叹气，“不过啊，人各有志，这小猴子志气可大了，恐怕是看不上咱们公司哟！您那么请他，他都不答应，不是太不识抬举了吗？”

转眼，十年过去了。

庞总退休，曾经理升上去，成了曾总。

上任不久，曾总就把办公室重新装潢，全用最好的材料，却只花了市价的一半。

为此，董事会特别赞美了曾总，觉得老曾真不简单，连建筑装潢界都罩得住。

老曾当然罩得住！

那位有名的侯设计师，十年来总跟老曾走动，处处说自己是曾先生提拔的，使他能由个打杂的小工成为企管的专家，又能一步一步往

当我们心神不宁的时刻，找一件引发兴趣的事去做，要比枯坐在屋里，更能够产生安定的作用。

上爬。

“幸亏我听曾总的，没留在庞总的身边做奴才，不然怎么能有今天？”侯设计师每次视察工程进度，都跟公司新进的职员们说，“曾总真是好人，真是我的贵人哪！”

你不可不知的人性 ▶

老曾真是小侯的贵人吗？

当然！要不是他教小侯别去跟庞总，而自己出去打天下，小侯后来怎么能成为装潢界的名人呢？

但老曾真是好人吗？

那可就是开玩笑了。

老曾不但不是好人，还是超级奸人，你说他的段数高不高？

他能先把小侯调开，出钱让小侯去进修，使小侯没机会多跟庞总接触，再利用年轻人的“血气”“义气”，要小侯别上庞总的“当”，别去为庞总做“奴才”。

问题是，庞总真要小侯去做奴才吗？还是他想特别提拔这个年轻人？

如果小侯真去跟了庞总，只怕今天升上去做总经理的不会是老曾，而是小侯啊！

老曾为什么会“设计”小侯，小侯不是他提拔进公司的吗？

很简单！因为他也识才，看得出小侯有过人的才干。只是，他把小侯带进公司，是要用小侯做奴才，而不是要小侯去抢他的风头。

越无才的人越会忌才，他唯恐别人的学历比他高。老曾看小侯只有高中毕业，学历不高，不成威胁，所以用他。

偏偏小侯不是池中物，老曾生病，小侯居然小试身手，就让庞总眼睛一亮。

庞总当着老曾的面赞美小侯，能不让老曾心惊吗？

什么？这小子居然已经能写英文的商业书信，还帮老总写应酬的外文信函，加上他年轻、有冲力，他要是爬上去，将来能不站到我头上吗？

于是他“设计”，改变了小侯的整个命运。

可悲的是，小侯被卖了却不知道，他居然说老曾是好人，只怕至今还一直想：庞总真是浑蛋，他想利用我，去当他的小使唤。

这世界上多少年轻人，就因为少不更事而被卖了。

这世界上又有多少好人，好心没好报，他想造就的那个人还可能一辈子误会他。

如果你是庞总，你用老曾这样的人之前，能不好好考虑考虑吗？

如果你是一国的领导者，你又能用像老曾那样“蒙上欺下”的人吗？

那种人不但会毁掉下面的人才，而且可能是把你送上断头台的人。

有一天，你上了断头台，下面“观礼”（看行刑）的群众，非但不知道你是好人，反而会喝彩叫好。

他们认为他们悲惨的命运是你造成的，天理昭昭，你终于“伏法”了。

事实是谁造成的？

是那与你一起打天下、就站在你身边的那个人造成的啊！

你死了，他脱身了，他甚至上台继任，成为万民拥戴的“明主”。

这世界就是如此，许多事情都不明不白地落幕了。悲剧的主角不知道，悲剧的观众不知道，只有那导演与编剧在偷笑。

我为什么要写这一章？其实这章是与上一章相关的。

想想，方小姐从姚太太那儿拿了昙花，自己培养，后来成了姚太太的对手。

小侯不也是如此吗？他最早被老曾提拔，然后光芒渐渐压过了老曾。

其中真正的不同是——

方小姐以“后来者”，排斥了造就她的人。

老曾以“上一辈”，排斥了他所造就的人。

两章看来相似，却是两种不同方向的反应。

每个专业的人，都要有他专业的“良知”。
即使外行人无法察觉，也要自我审核。

你或许要问：既是他造就的，为什么他还要排斥，这不是太矛盾了吗？

告诉你，这一点也不矛盾，这是人性！

今天你是围棋国手，有个资质不错的孩子常来向你请教，你也就教教他。

渐渐地，他越下越好，你由随便应付到“授五子”“授三子”，最后非但不能让他，而且常输给他。

你会怎么想？

如果境界高，你会想“长江后浪推前浪，一代新人换旧人”，退而让贤，努力帮助这个后起之秀，由他取代你。

如果你心胸狭窄，只怕你明明知道有好的比赛、好的棋谱，也不会告诉他。

你开始排斥他。

何止人性如此，连植物都一样。

桃子多软、多好吃，但是那桃核多硬啊！

它为什么长那么好吃的果肉，又长那么硬的桃核？

因为它希望动物吃那果肉，再把桃核扔掉，使它的下一代能繁衍，能扩散到远方。

每一种生物，基本上都希望它的下一代能延续。但是，每一种生物也都有个矛盾，就是希望它的下一代别跟它争地盘。

所以，许多树，像桉树、黑胡桃树和山毛榉，它们会分泌毒素，使附近别的树无法生长，甚至包括它自己的下一代。

你看过记录狮子生活的影片吗？

雄狮在孩子还小的时候，会跟孩子一起玩。

但是当小雄狮长大了，雄狮就开始排斥它。

那些小雄狮，不得不离开“爸爸的地盘”，自己去寻发展。它们在自己地盘的四周撒尿，向所有的狮群宣告（包括它的父亲）：“我长大了，这是我的国土，你们不得随便侵入。”

人毕竟是人。绝大多数的父母会让着孩子，造就自己的下一代。

但是朋友、同事之间，就不一样了。

今天你小，我让着你，认为你是后进，所以教你、带你。但是，当你的羽翼渐丰、爪牙渐利，我还能让你吗？

所以“让”这件事，通常发生在实力悬殊的情况下。当实力越来越接近，“让”就变为“竞争”，变成“战斗”。

同样的道理，你以为周遭与你实力相当的人真会捧你吗？

错了！正因为他们与你相差不远，除非你与他利益挂钩、相互吹捧，否则他们必定与你暗中较劲。

你又以为那过去一直提携你的领导会永远照顾你吗？

也错了！除非你一直把姿势放低，不给他一点点威胁，否则当你长大了，他就如同雄狮一样，开始对你龇牙。

于是你发现，当一个资深学者去申请学术奖金时，那奖金的审查委员可能都是他同辈的人。他们在开评审会议时，可能彼此笑道：

“某人真是的！他何必来跟年轻人争？我们不必锦上添花了。”

于是那奖金落在了晚一辈学者的口袋里。

论成就，那资深学者理当得奖，为什么这些同辈的评审不给他呢？

道理很简单——

远交近攻嘛！

晚辈比这些评审差得远，给他这个奖，他也不至于“坐大”。

但是那位资深的学者就算了吧！我们给他，使他又多个得奖的资历，不是把我们都要比下去了吗？

话说回来，今天那个得奖的年轻人，如果声誉日隆，改天再去申请，又碰上同一批评审，他还能得奖吗？

人性是矛盾的。他一方面“好为人师”，会教那些不如他的人，但是当那些人“大了”之后，他又会“容不得人”，而去排斥。

殖民者会去教那些知识未开的土著，为他们办学校，送他们去留学。

但是当有一天，那些被教育的土著下一代，有了自己的思想，有了自己的主张……殖民统治者就会排斥他们，把他们关进监牢或偷偷枪毙。

“不痴不聋，不成姑公。”一个对部属告的每个状，都立即做出反应的人，绝对不是最佳的领导者。

你不能没有的谅解 ▶

多么可怕的人性啊！

但是如我所说，它是天地间当然存在的一种道理，植物有，野兽有，人也有。

了解了这点，如果你希望一直被你的领导爱护，你就应该总把他放在第一位，你必须常常暗示他：你绝对效忠，不会取他而代之。

当你发现自己的脚怎么躲都不得不踩到他脚趾的时候，如果不是他走或你离开，你就最好准备迎战。

如果你是领导者，你最好分层负责，自己绝不往下越级，接触任何属下的属下。

你不可与那些“小子”私下吃饭，更避免当着他的上级的面赞美他们。

他的上级越是饭桶，你越要小心。否则你才赞美不久，就会发现他的上级来对你说他的坏话；再过不久，那个小子就会递上辞呈。

你越赞美他，他可能滚得越快。

如果你是新进人员，你的顶头上司、直属上级与你又在同一个办公室。

当下班时间到了，直属上级要走了，而顶头上司还在的时候，你最好跟直属上级一起下班，别留在办公室。

否则，你的直属上级难免会想，这小子会不会跟“老大”接触，攀交情、打小报告？

至少，你总是加班，对比之下，显得你的直属上级不如你努力。

你最好少表现，除非你有个有实力、有才能、又有心胸的上级或了不得的后台。

如果你已经人生过半，更该回头想想，那些你过去痛恨的人，是不是真值得恨？会不会因为你被人设计而误会了他？

如果你被设计、被排斥，后来却成功了，就别再去恨任何人了吧！因为那是人性啊！

因为贵人未必是好人，贵人常是欺负你、逼你成功的人哪！

既然他是你的贵人，你又何必恨他呢？

后记

别做烂好人

我们要懂得“不可不知的人性”，要有“不能没有的谅解”，更要有“绝不妥协的坚持”。那“绝不妥协”，不是无情，是有情。

一九九九年十二月，世纪末的岁暮，我应出版社的邀请到北京等六个城市演讲。

一路上，我接受了许多电视台的访问，也上了湖南卫视当时最热门的节目《有话好说》。但我印象最深的，却是在长沙岳麓书院里的一个访问。

南方的初冬，好像北方的仲秋，那天我和记者坐在池边，远处有回廊讲堂，脚前是流水锦鳞，加上金风黄叶，美极了！

“听说您昨天到湖南大学附近的一个书店，还买了一本自己的盗版书？”记者问。

“是啊！”我笑笑说，“我问那店员是不是盗版书，她说保证不是。我说是，而且我就是作者，她居然理直气壮地讲：‘这不就是你的书吗？’”

接着记者问我对盗印猖獗的感想。

我想他一定猜我会痛骂，但是，我没骂，只是淡淡一笑：

“其实每个发展中国家都有盗版问题，对于一些落后地区，盗版能使他们用很少的钱获得最新的知识，也使他们能更早脱离贫穷。”接着我引述了纽约律师汪恒祥说的故事：“听说有个美国书商跑到村子抓盗印。走进村子，前后左右，每家都传来小型印刷机转动的声音。一个老太太拄着拐杖走过，几个孩子叫闹着跑过，一个小娃娃哭着爬过。美国书商愣住了，转身，离开。”

“您这么说，好像并不反对盗版，也不痛恨这些人？”记者惊讶地问。

“我当然反对，但我不恨，我只是试着去谅解。”我说。

是的，我相当谅解他们。对每个害我的人，我总是在痛心疾首之后，试着想：他们那样做，可能有不得已的苦衷。

谅解使我能从正面思考，使我能由别人的角度想事情，也使我见到许多别人见不到的东西。

但我不是“烂好人”，在谅解的同时，我也有责难。

我认为我们中国以前经济比较落后，好比在世界舞台上不被重视的小角色，做做小动作，没人注意。但是现在跻身强国之林，站在舞台中央，成为主角，则是“动静观瞻”。

为了保护创作者的智慧财产，我不能只是姑息，没有行动；更不能只有道德，没有勇气。

长沙访问之后的第十二天，我到了沈阳，遇上多年来少有的酷寒。

十二月二十一日，顶着零下28℃的寒风，我到了沈阳市中级人民

一个精明的领导者，不只看你已经学会了多少，更看你未来能学到多少。

法庭，具状控告两个贩卖盗版书的书商。

不告印书者，而告书商，是少有的事。我这么做，一方面因为盗版者都用化名、不易追查，一方面因为采用了“抓上堵下”的方式。

在法庭外，我又接受了电视台的访问，我说得很简单——

“我这样做，不只是为自己，也是为整个社会。因为只有版权获得保护之后，创作者才可能不愁生活，专心创作，国家也才可能进步。”我更强调，“今天如果我赢了官司，获赔的每一文钱，全部拿去建希望小学，表示我不是为钱来打官司，而是为了伸张正义。”我甚至说，“今后在祖国大陆任何抓盗版获赔的钱，全部用来捐建学校。”

半年多之后，判决下来，我终于赢了，只是赔得不多，只有五万人民币，扣掉四万律师费，剩下一万元，连旅费都不够。

但我捐建的十所“慈恩希望小学”，都将在年底前完工。

我今天把这些讲出来，只是要说明一件事——

我们要懂得“不可不知的人性”，要有“不能没有的谅解”，更要有“绝不妥协的坚持”。那“绝不妥协”，不是无情，是有情。

“明刑”是为了“弼教”，“打击”是为了“安定”，所有的强势作为都可以化作温柔体贴。

同样的道理，看这本书，请千万不要因为谅解人性而变得瞻前顾后，因为了解人性而变得冷漠无情。

希望这本《你不可不知的人性》，带给您的是对人生的正面思考，也是面对人世的更大勇气。

而那更大的勇气，是为我们的下一代建立更美好的未来。

图书在版编目（CIP）数据

你不可不知的人性 .2 /（美）刘墉著. --长沙：湖南文艺出版社，2017.1（2022.6重印）
ISBN 978-7-5404-7873-5

Ⅰ. ①你… Ⅱ. ①刘… Ⅲ. ①散文集—美国—现代 Ⅳ. ①I712.65

中国版本图书馆CIP数据核字（2016）第289485号

上架建议：励志 · 成功心理学

NI BUKE BU ZHI DE RENXING .2

你不可不知的人性 .2

作　　者：[美] 刘　墉
出 版 人：曾赛丰
责任编辑：薛　健　刘诗哲
监　　制：吴文娟
策划编辑：董　卉　吕晓如
特约编辑：宋　歌
版权支持：刘子一
营销编辑：闵　婕　傅　丽
版式设计：李　洁
封面设计：利　锐
出　　版：湖南文艺出版社
（长沙市雨花区东二环一段508号　邮编：410014）
网　　址：www.hnwy.net
印　　刷：三河市天润建兴印务有限公司
经　　销：新华书店
开　　本：880mm × 1270mm　1/32
字　　数：104千字
印　　张：4.75　　插　页：8
版　　次：2017年1月第1版
印　　次：2022年6月第4次印刷
书　　号：ISBN 978-7-5404-7873-5
定　　价：29.90元

若有质量问题，请致电质量监督电话：010-59096394
团购电话：010-59320018

不只要你知道人性的丑恶，

更希望你在“了解”之后，能有“谅解”。

更多免费赠书
更多精彩福利
扫码喜提！

上架建议：励志 · 成功心理学

ISBN 978-7-5404-7873-5

定价：29.90元